La vengeance des des Pharaons

Yves NAUD

La vengeance des Pharaons

EDITIONS FAMOT

PREMIÈRE PARTIE

LA VENGEANCE DES PHARAONS : MYTHE OU RÉALITÉ?

« La mort abattra de ses ailes quiconque
dérange le repos du pharaon.»

Texte d'une tablette trouvée dans la
chambre funéraire du Toutankhamon

L E 3 mai 1892, Ali Mahmoud Taha et Ounis Sabhan arrivent, à huit heures du matin, comme tous les jours, dans la petite maisonnette située près de la pyramide de Chephren.

Gardiens de cette pyramide depuis longtemps, ils s'installent, comme d'habitude, devant une petite table, l'unique meuble du modeste bureau que l'administration des Antiquités égyptiennes a mis à leur disposition. A cette époque, les touristes sont rares et l'administration ne dispose que d'un budget fort limité.

Déjà atteint par l'embonpoint, Ounis Sabhan, le chef des gardiens, prie son adjoint Ali d'aller faire un tour autour du monument, comme le prescrit le règlement.

– Je me sens un peu fatigué, aujourd'hui, lui dit-il. Tu connais le chemin...

Ali, qui connaît, mieux que quiconque, la paresse proverbiale de son chef, n'est pas surpris de devoir faire seul l'inspection réglementaire. Décider Ounis à faire quelques pas dehors est une entreprise souvent vouée à l'échec! Ali quitte donc le bureau et se dirige, d'un pas nonchalant, vers la pyramide.

Les stigmates d'une indicible terreur

– Ounis! Ounis!

Le gardien-chef sursaute en entendant l'appel de son adjoint. Il s'arrache, en maugréant, à sa douce somnolence, quitte sa chaise et se dirige vers la porte.

– Ounis! Ounis! crie toujours Ali.

– Pourquoi hurles-tu comme un damné? lance, de loin, le paresseux Ounis.

– Il y a un mort à l'intérieur de la pyramide!

– Un mort?

– Oui, un mort!

Une heure plus tard, une ambulance vient chercher le cadavre. Les infirmiers, guidés par Ali et Ounis, pénètrent à l'intérieur de la pyramide et trouvent l'homme mort, les yeux révulsés, la langue pendante; le malheureux porte sur son visage les stigmates d'une indicible terreur...

– Il a dû s'introduire hier dans la nuit à l'intérieur, explique Ali aux infirmiers. De quoi est-il mort d'après vous?

– Je n'en sais rien, répond l'un des infirmiers. Le médecin nous le dira tout à l'heure.

La vengeance des pharaons

Alertée à son tour, la police se rend à l'hôpital. Elle fouille le cadavre et découvre que le mort s'appelle Mustapha Amin. Âgé de vingt-sept ans, père de quatre enfants, Amin était tailleur de pierres dans le petit village de Sallat-Oumran. Une brève enquête révèle qu'Amin se livrait, également, à une activité nocturne et lucrative: il était... pilleur de tombes; il se rendait souvent au Caire pour vendre les menus objets qu'il trouvait, de temps à autre, lors de ses fouilles nocturnes dans les innombrables sites pharaoniques de la région.

Longuement interrogée par la police, la jeune veuve de Mustapha Amin livre quelques détails sur les activités de son mari.

– Mon mari, confie-t-elle aux policiers, possédait un vieux grimoire.

Il me disait que c'était un livre très ancien, écrit, il y a plusieurs siècles, par des chercheurs de trésors. «Nous serons bientôt riches», me répétait-il souvent. J'étais terrorisée. Je le suppliais de mettre fin à ces dangereuses recherches. Les contes assuraient que ceux qui cherchaient à s'emparer des trésors des pharaons finissaient toujours par y laisser leur vie. Mais mon mari se moquait de moi et me disait que j'étais superstitieuse, que ces contes n'avaient pas de sens. Là-dessus, il quittait la maison à la tombée de la nuit et allait fouiller de vieilles tombes. Il y a une semaine, il m'a dit: «Je vais m'introduire dans la pyramide; c'est là sûrement où se trouvent les trésors». J'étais très effrayée. Je lui ai dit: «Tu es fou, Mustapha, tu sais bien que tu ne réussiras jamais à y entrer». Il m'a alors affirmé qu'il réussirait là où les autres avaient échoué. J'ai tout fait pour le dissuader. Hélas! mon mari était têtu. Il était sûr de trouver un trésor.

Et la veuve de Mustapha Amin ajoute, entre deux sanglots:

– Mon mari est mort victime de la vengeance des pharaons.

Les policiers, apitoyés par le malheur qui frappe la jeune femme, ont beau lui expliquer que son mari est mort d'une crise cardiaque, elle ne cesse de répéter:

– Non, mon mari n'était pas malade; il ne souffrait pas du cœur. Il est mort, frappé par la main invisible des pharaons.

Les morts mystérieuses

La vengeance des pharaons: telle est également l'explication que l'on donnera, un an plus tard, en juin 1893, de la mort d'Ahmed Bouziri, un autre fouilleur de tombes. De nouvelles morts mystérieuses, survenues entre 1895 et 1910, amenèrent les journalistes, tant en Egypte qu'en Europe, à évoquer, de plus en plus souvent, la mystérieuse malédiction des pharaons.

C'est après la découverte du trésor de Toutankhamon, en 1923, que les rumeurs d'une vengeance posthume des rois de l'antique Egypte prendront une ampleur considérable.

Car, parmi ceux qui ont été mêlés, de près ou de loin, à la découverte du tombeau de Toutankhamon, vingt-trois mourront dans des conditions plus ou moins étranges. Il n'en faut pas plus pour que

Toutankhamon devienne la figure clé de la malédiction des pharaons. Comment, laissent entendre ceux qui croient dur comme fer à cette vengeance posthume, expliquer la mort subite de lord Carnarvon, de Jay-Gould, de Joel Woolf, de lady Almina Carnarvon, d'Archibald Douglas Reed, des professeurs Alan Gardiner, Breasted, Winlock, Foucart et La Fleur, des archéologues Garry Davies, Harkness, Douglas Derry, Astor et Callender? Certains étaient dans la pleine force de l'âge et ne souffraient d'aucune maladie. Peut-on mettre toutes ces morts sur le compte du hasard? Comment ne pas voir un lien entre tous ces événements tragiques? Et ce lien n'est-il pas, précisément, la terrible malédiction qui frappe ceux qui profanent les antiques sépultures des pharaons?

Des formules maléfiques qui n'ont rien perdu de leur pouvoir

Pour des auteurs comme l'abbé Moreux ou Georges Barbarin, cette malédiction n'est pas un mythe. Les anciens Egyptiens possédaient une science mystérieuse, très avancée, et dépassant même ce que nous savons aujourd'hui. D'abord le laser, les condensateurs d'énergie cosmique, la fissure de l'atome n'avaient aucun secret pour eux. En outre leurs magiciens, «supersavants» des temps pharaoniques, maîtrisaient des techniques dont nous n'avons pas la moindre idée. Parmi ces techniques, affirme pour sa part l'abbé Moreux, figurent précisément celles qui doivent mettre les sépultures des pharaons à l'abri des profanateurs. Pour appuyer sa thèse, il souligne que, outre les victimes de Toutankhamon, que nous évoquerons en détail plus loin, de nombreux cadavres de pillards ont été trouvés près des tombes pharaoniques, un peu partout en Egypte. Tous, soutient l'abbé Moreux, sont tombés victimes de la vengeance des pharaons; les formules des magiciens de l'antique Egypte gardent un pouvoir intact. Et l'abbé Moreux rappelle, à la fin de sa démonstration, l'inscription sans ambiguïté de la tablette trouvée près de Toutankhamon: «La mort abattra de ses ailes quiconque dérange le repos du pharaon».

D'autres auteurs vont plus loin encore que l'abbé Moreux. Ils estiment, comme Henri Nouet ou Pierre Gravet, que les sorciers égyptiens ont disposé, à l'intérieur des pyramides et des tombes, des poisons encore efficaces après trois ou quatre mille ans. D'autres encore affirment que des produits radio-actifs ont été cachés près des sépultures pharaoniques, produits dont le rayonnement foudroie pilleurs et profanateurs!

«Ramsès II n'est pas tout à fait mort!»

En plus des décès mystérieux survenus notamment après la découverte du tombeau de Toutankhamon, les auteurs convaincus que la malédiction des pharaons est bien réelle rappellent les conditions étranges qui entourèrent la mise au jour de la momie de Ramsès II, mort à l'âge de quatre-vingt-dix ans, en 1234 avant J.-C.

Ceux qui avaient trouvé cette momie ont mis plus de deux longues heures à dérouler le linceul qui l'enveloppait et dont la longueur dépassait quatre cents mètres! Au moment même où ils achevaient de libérer la momie de ce linceul, l'une des mains décharnées du pharaon se souleva brusquement dans un geste de menace et demeura définitivement dans cette position. Les gardiens qui avaient assisté au déroulement de l'immense linceul poussèrent des cris de terreur lorsqu'ils virent le mouvement par lequel, à travers les siècles, le vieux souverain manifestait sa fureur sacrée. Dès lors, ces gardiens refusèrent catégoriquement d'intervenir de quelque façon que ce soit dans des opérations constituant, à leurs yeux, d'abominables profanations. Les savants eurent beau expliquer que le geste du pharaon était dû au soleil qui, en éclairant, après trois mille ans, le bras droit dénudé du roi, avait provoqué une dilatation des os du coude et déclenché ainsi un déclic brusque qui avait fait se dresser une partie du bras, les gardiens, nullement convaincus par cette explication scientifique, déclarèrent que «Ramsès II n'était pas tout à fait mort».

Des pouvoirs ayant une origine extérieure au monde que nous connaissons

L'archéologue italien Evariste Breccia, qui rapporte cette anecdote dans son ouvrage *Ces pharaons qui ne connaissent pas la paix,* souligne que l'on ne doit pas «plaisanter avec la malédiction des pharaons défunts». Et il ajoute: «Ceux qui considèrent qu'elle peut avoir de terribles effets directs sur les individus ont raison (...) Elle peut aussi agir indirectement – que Dieu nous en préserve – sur des personnes innocentes, telles que vous et moi, s'intéressant aux Djoser, Aménophis et autres Ramsès».

L'auteur affirme que les formules utilisées par les prêtres-magiciens de l'antique Egypte pour protéger le repos éternel des pharaons ne relèvent pas seulement de la sorcellerie. Elles transmettent aussi «des pouvoirs ayant une origine extérieure au monde que nous connaissons et dont nous contrôlons les phénomènes, pouvoirs dont le temps n'a nullement amoindri l'efficacité».

Selon Breccia, seul notre «orgueil rationaliste moderne» nous empêche de comprendre ces «phénomènes fascinants tout autant que réels». Notre susceptibilité d'hommes vivant à l'ère des voyages interplanétaires et de la conquête de la lune nous interdirait de croire à la réalité et à la pérennité de la malédiction pharaonique. «La conscience des progrès que nous avons réalisés, des maîtrises que nous avons acquises dans tous les domaines de la matière, précise Breccia, nous donnent l'illusion d'échapper à l'immanence de forces supérieures à celles que nous avons appris à dompter et à utiliser.»

Des articles fantaisistes sur des racontars sans fondement?

Tout le monde, naturellement, ne partage pas ces opinions. Les savants, en général, considèrent que la malédiction des pharaons relève de la superstition. Il ne s'agit là, à leurs yeux, que d'un incroyable roman inventé par des journalistes en mal de copie à l'usage de lecteurs avides de sensations fortes.

C'est notamment l'avis d'Howard Carter qui a découvert, avec lord Carnarvon, la sépulture de Toutankhamon. Publiant un article en

1933, dans *La Tribune de Genève,* le célèbre égyptologue anglais tourna en dérision les thèses échafaudées autour de la vengeance des pharaons et laissa entendre que, si les menaces proférées au moment de l'inhumation d'un pharaon, ou inscrites pour l'éternité sur les murs d'une tombe, avaient un pouvoir quelconque, la race des archéologues serait éteinte depuis longtemps. «Quelque temps après la découverte de la tombe de Toutankhamon, écrivait Carter, les journaux du monde entier et, parmi eux, certains très sérieux, publièrent des articles plus ou moins fantaisistes sur la malédiction qui devait s'abattre sur nous, les savants, qui avions osé troubler le sommeil éternel du grand pharaon... Ces légendes prirent de plus en plus de consistance et de nombreuses personnes finirent presque par ajouter foi à ces racontars ou, tout au moins, par considérer certaines circonstances comme particulièrement étranges... En ce qui nous concerne, nous n'avons pu qu'en rire et nous sommes encore incapables, à l'heure actuelle, de déterminer les motifs qui peuvent inciter des gens à croire en des histoires aussi ridicules.»

Un dossier aussi fascinant que mystérieux

Qui a tort et qui a raison dans ce débat ? La malédiction des pharaons est-elle mythe ou réalité ? Quels étaient au juste, les pouvoirs secrets des prêtres-sorciers de la vallée du Nil ? En quoi consistaient leurs formules de malédiction ? Ces prêtres recouraient-ils à des pratiques magiques, et lesquelles, pour préserver les sépultures des pharaons ? Qui était au juste Toutankhamon, figure centrale de cette éventuelle malédiction attachée aux sépultures royales de l'ancienne Egypte ? Comment s'est déroulé son règne ? Comment sa tombe fut-elle découverte, intacte, après trois millénaires et demi ? Est-ce un hasard si vingt-trois personnes mêlées à cette découverte périrent dans des circonstances étranges ? Ou peut-on penser qu'elles furent victimes de la terrible vengeance du jeune souverain de la XVIIIe dynastie, mort à dix-huit ans ?

Telles sont quelques-unes des questions que suscite le dossier, aussi fascinant que mystérieux, de la malédiction pharaonique. Sans pouvoir, bien entendu, répondre d'une façon définitive à toutes ces questions, nous allons examiner quelques-unes des pièces les plus importantes de ce dossier. Nous le ferons à la lumière des textes égyptiens eux-mêmes. Les innombrables inscriptions trouvées dans les tombes et sur les parois des pyramides, les papyrus laissés par les scribes de l'Egypte pharaonique, nous fournissent un matériel archéo-logique d'une prodigieuse richesse. Ces textes ne nous permettent pas seulement de découvrir les formules destinées à préserver les tombes des souverains égyptiens, ils nous révèlent aussi les croyances métaphysiques des habitants de la vallée du Nil, leurs coutumes, leurs superstitions; ils nous fournissent mille détails sur les pratiques de leurs prêtres, de leurs magiciens et de leurs sorciers; ils nous restituent avec une précision stupéfiante les activités occultes de ces magiciens qui passaient pour tenir, entre leurs mains, le destin des vivants et des morts.

Mieux que les exégèses les plus subtiles et les dissertations les plus savantes, ces textes nous introduisent au cœur même des mystères de l'Egypte pharaonique.

DEUXIÈME PARTIE

LES SECRETS
DE LA MAGIE ÉGYPTIENNE

*Je connais le secret des hiéroglyphes
et je sais comment s'accomplissent les offrandes rituelles.
J'ai appris toutes les formes de la magie
et aucune ne m'est étrangère.
En vérité, je suis un excellent exécutant
dans l'art qui est le mien,
et ma supériorité est le résultat de mes connaissances.
Je n'ai rien révélé de ce que je sais, à personne.*

Eloge du magicien Im-Ho-Râ par lui-même
(texte d'une stèle datant du Moyen Empire,
conservée au musée du Louvre)

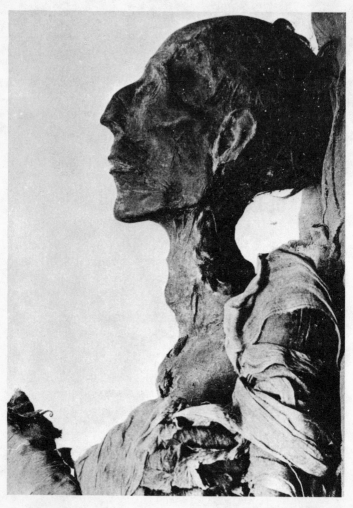

«Ramsès II n'est pas tout à fait mort!» Après que l'on eut déroulé le linceul de sa momie, l'une des mains décharnées du pharaon se souleva brusquement dans un geste de menace... Musée du Caire. *Monuments historiques.*

CHAPITRE PREMIER

CES MAÎTRES TOUT-PUISSANTS
DU MONDE INVISIBLE

MÉDECIN, physicien, psychologue, astronome, chimiste, le magicien de l'Egypte pharaonique est tout cela à la fois, et bien plus. La littérature populaire de l'époque attribue à ce magicien une place fondamentale dans la société égyptienne. Il peut en effet, selon cette littérature, donner la vie ou la mort, lire dans les étoiles, prévoir l'avenir, évoquer le passé, assurer le présent, guérir les maladies, éloigner les catastrophes, préserver les propriétés funéraires du pillage et de la profanation, faire tomber la pluie, séparer en deux les eaux d'un fleuve, couper la tête d'un homme et la remettre en place sans danger pour le sujet, se rendre invisible, lire une lettre cachetée et même rendre vivants les objets inanimés.

Les prodiges les plus miraculeux seraient donc le fait, quotidien, du magicien de l'antique Egypte.

L'immense savoir des magiciens égyptiens

Avant de pénétrer dans le monde si mystérieux de la magie égyptienne, il nous faut nous débarrasser de quelques idées reçues.

Depuis le Moyen Age, nous sommes portés, en Occident, à cause du diable et des sorcières, à voir dans la magie un art maudit, voué aux ténèbres, tirant son efficacité d'une inavouable compromission avec les puissances de l'enfer. Or, si nous voulons comprendre un peu ce que fut la magie aux bords du Nil, il faut y découvrir, au contraire, un effort rationnel pour étudier l'origine des forces qui régissent le monde et pour les maîtriser. Bien sûr, nous serons loin, ici, d'une interprétation purement scientifique du monde, selon nos règles modernes. Mais, cette magie égyptienne, dans son effort pour modifier l'ordre naturel des choses à partir d'une certaine interprétation des circonstances qui déterminent cet ordre naturel, constitue un premier effort intellectuel pour pénétrer les lois de l'univers. Sous sa forme encore confuse et embryonnaire, cette magie peut donc déjà passer pour une «science». Une «science» que de nombreux auteurs, passionnés par l'occultisme et l'«inexplicable», tel l'abbé Moreux, considèrent, nous l'avons dit, comme très supérieure à notre science actuelle.

Dans un ouvrage consacré à la *Science mystérieuse des pharaons,* cet excellent abbé, qui vers 1920 enseignait l'astronomie dans un collège de Bourges, nous invite en effet à mieux «déchiffrer les papyrus magiques de l'Egypte», dont une lecture attentive pourrait nous aider «à résoudre nos problèmes scientifiques les plus récents» car ces papyrus «contiennent un savoir dont il nous est difficile de saisir les limites».

Un arsenal complexe et varié de pratiques magiques

Sans aller jusqu'à adopter ces thèses extrêmes, nous allons aborder cette magie avec la part de sympathie et de curiosité bienveillante nécessaire à toute compréhension.

L'attitude métaphysique sur laquelle s'appuie la magie égyptienne est relativement simple. Pour l'Egyptien d'autrefois, l'inanimé n'existe pas. Nous-mêmes et l'univers perceptible qui nous entoure, sommes le support et la manifestation de forces conscientes, agressives parfois, souvent indifférentes, redoutables toujours. Là où nous voyons, en particulier dans les phénomènes physiques, des formes d'énergie en cours de transformation, les Egyptiens voient un jeu complexe de forces souvent personnelles, issues des hommes, des dieux ou des morts, des forces vivantes, donc capables de pensée et de sentiment, et accessibles à la prière ou au raisonnement, sensibles à la menace, vulnérables, avec lesquelles, par là même, on peut essayer de traiter.

Le magicien, précisément, est chargé de traiter avec ces forces, de les identifier, de comprendre les motifs de leur action. Bref, de les convaincre ou de les vaincre. Face à ces forces qui constituent le monde de l'invisible, le magicien use de l'arsenal complexe et varié des pratiques connues de lui seul.

Des doubles errants qui rôdent jour et nuit

Le monde de l'invisible est en effet plein de courants incertains et dangereux : forces obscures jaillies de la nuit, néfaste puissance des dieux et des morts, démons redoutables. A chaque instant, le magicien doit déchiffrer, maîtriser ou combattre ce monde trouble, parcouru de forces mystérieuses, que nous décrit admirablement le grand égyptologue français Gaston Maspéro, dans ses suggestives *Causeries d'Egypte* (1892) :

« Les vivants se mêlent à ces forces obscures sans le savoir, les heurtent, les repoussent, les appellent, tantôt pour subir des influences mauvaises, tantôt pour recevoir d'elles des bienfaits. Beaucoup sont des demi-divinités ou des génies qui n'ont jamais traversé l'humanité ; plus encore sont des âmes désincarnées, des doubles errants ou des ombres mécontentes, à qui leur condition d'outre-tombe n'a conservé aucun des avantages dont ils jouissaient pendant leur existence terrestre et que leur misère enrage contre les générations présentes. Ils en veulent à ceux qui tiennent maintenant leur place de les délaisser comme eux-mêmes délaissèrent ceux qui les avaient précédés, et ils cherchent à se venger de leur négligence en les attaquant à leur insu ; ils rôdent jour et nuit par les villes et par les campagnes, quêtant patiemment quelque victime, et dès qu'ils l'ont trouvée, ils s'emparent d'elle par l'un des moyens à leur disposition. »

« Le magicien enchanta la terre, le ciel, le monde et la nuit...»

Comment procède le magicien égyptien pour lutter contre ces dangereuses légions de la nuit et comment exerce-t-il son pouvoir?

Nous ne disposons, sur ce point précis, que d'informations fragmentaires et incomplètes. Si, comme nous allons le voir, les formules, les imprécations et les « livres secrets » ont été retrouvés en très grand nombre, nous connaissons moins bien les circonstances pratiques dans lesquelles se déroulent les opérations magiques et les rites religieux: aucune frontière ne sépare, en effet, la magie de la religion dans l'Egypte pharaonique.

Certains contes populaires, tel le conte de Satni, nous montrent, avec malheureusement fort peu de détails, un magicien à l'œuvre: « Le magicien tira le livre hors du coffret d'or, et il récita une formule de ce qui était écrit: il enchanta le ciel, la terre, le monde de la nuit, les montagnes et les eaux; il comprit tout ce que disaient les oiseaux du ciel, les poissons de l'eau, les quadrupèdes de la montagne; il récita l'autre formule de l'écrit et il vit le soleil qui montait au ciel avec son cycle des dieux, la lune qui se lève, les étoiles en leur forme; il vit les poissons de l'abîme, car une force divine planait sur l'eau au-dessus d'eux. »

D'autres textes insistent sur le fait que le magicien ou le prêtre doivent « se purifier » avant toute opération magique ou cultuelle. Le *Papyrus Bremmer-Rhind* nous dit, à propos d'une formule magique, qu'elle doit être récitée « par un homme qui est pur et qui a fait ses ablutions ». Un autre texte, tiré du *Livre de la vache du ciel,* nous fournit des détails plus précis: « Le magicien, lit-on, doit être enduit d'huile et d'onguents, l'encensoir empli d'encens étant dans sa main; il doit avoir du natron d'une certaine qualité derrière ses oreilles, une quantité différente de natron étant dans sa bouche; il doit être vêtu de deux pièces de vêtements neuves, après s'être lavé dans l'eau de la crue, avoir chaussé des sandales blanches, et avoir peint l'image de la déesse Maat[1] à l'encre fraîche, sur sa langue. »

---

1.   Déesse de la vérité.

Quant au matériel utilisé par le magicien, il se ramène, si l'on en croit quelques inscriptions, à un petit nombre d'éléments : feuilles de papyrus neuves, encre fraîche, amulettes, talismans, colliers, figurines de cire, plumes, cheveux, lampes ou mèches.

Amulettes et talismans de l'antique Egypte

Un grand nombre de musées, particulièrement le Louvre, le musée du Caire et le musée de Turin, possèdent, en très grand nombre, ces talismans et ces amulettes.

Ce sont de petits objets de matières et de formes variées qu'on trouve très souvent dans les tombes pharaoniques, dispersés sur le sol ou disposés sur les momies. On les fabriquait généralement en terre vernissée, en pâte de verre, en pierre plus ou moins rare, en or, en argent, en bois doré, etc. Quant à leur forme, elle est déterminée par les conceptions qu'avaient les anciens Egyptiens de la vie humaine. Pour un magicien ou un prêtre, la vie est un esprit appelé *Ka*, souffle, être autonome qui peut s'échapper du corps et qu'il faut tenir attaché à ce corps. De là, ces amulettes en forme de nœuds, de liens, qui nouent la vie aux endroits du corps où elle est le plus apparente, le plus perceptible, où on peut la discerner aux battements du pouls : le cou, les poignets, les chevilles.

Le collier, par exemple, défend la poitrine des dieux et des morts ; il est assimilé, en quelque sorte, à un dieu dont les bras protègent la partie du corps qu'ils touchent. Bracelets et colliers sont souvent composés de petits nœuds, enfilés les uns à la suite des autres et composant un bijou à signification magique. Quelquefois aussi, ces nœuds sont posés isolément sur les corps des vivants ou des morts : ils nouent la vie et l'empêchent de quitter le corps. De là le sens de protection ou de garde que ces signes ont conservé dans la langue hiéroglyphique égyptienne.

Les couleurs jouent également un rôle important. Ainsi, le vert assure naturellement la jeunesse et la verdeur ; la cornaline rouge des talismans évoque le sang d'Isis ; les rouge, jaune et blanc des bande-lettes donnent aux morts les vertus d'éclat et de pureté dont ils sont imprégnés.

Le saint des saints du temple, protégé par un secret absolu

Le déroulement des opérations magiques et cultuelles, avons-nous dit, nous est peu connu. Toutefois, un document précieux nous permet d'assister à une cérémonie magique. Il s'agit d'un rapport établi par Ipuwet, haut fonctionnaire du Trésor sous Pépi II, le fameux pharaon de la sixième dynastie qui régna, dit-on, pendant quatre-vingt-quatorze ans sans interruption.

Ce rapport, conservé actuellement au musée du Caire, est l'un des très rares documents qui décrivent avec une relative précision les différentes étapes d'un rite magique dans un temple égyptien.

Ce rite, nous explique Ipuwet, se déroule à l'aube; il est destiné à assurer la victoire quotidienne du soleil sur les ténèbres et sur le dragon Apep. Il est célébré, dans le plus grand secret, à l'endroit le plus obscur et le plus dissimulé du temple.

Comment se présente un temple sous la sixième dynastie? Selon notre haut fonctionnaire, le temple a l'aspect d'une forteresse entourée par un haut mur blanc derrière lequel s'étendent le parc sacré et des jardins magnifiquement aménagés, comportant de nombreux bassins et agrémentés de plantes et de parterres. Au fond de l'allée qui, partant de l'imposante porte d'entrée percée dans la muraille d'enceinte, conduit au portail donnant accès au temple lui-même, se profilent deux grands pylônes recouverts de bas-reliefs peints reproduisant les scènes les plus glorieuses de la vie de Pépi II.

Après avoir passé ces deux pylônes, on gagne le parvis où se déroulent les processions auxquelles le peuple était admis. Puis on entre dans une salle hypostyle plongée dans la pénombre. Vient ensuite une deuxième salle hypostyle où règne une plus grande obscurité: le seul éclairage toléré est celui de la flamme vacillante des lampes à huile allumées seulement lors de l'accomplissement des rites par les prêtres-magiciens. Ici, nous sommes dans le saint des saints du temple, dans le domaine particulier des magiciens, un domaine protégé par un secret absolu; c'est là qu'on célèbre les rites magiques et religieux, intimement mêlés. On voit que, de l'extérieur jusqu'à ce lieu sacré, l'intensité de la lumière va décroissant; à la brillante clarté du grand soleil, succède la pénombre et finalement l'obscurité la plus totale.

Ô vous, âmes divines d'Héliopolis !

Dans cette salle secrète, un tabernacle abrite la statue du dieu-pharaon, grandeur nature. Au lever du jour, avant d'ouvrir ce tabernacle le prêtre-magicien répand de l'encens à profusion pour purifier la pièce et pour effacer toute trace d'une éventuelle intrusion d'esprits maléfiques.

Le prêtre-magicien prononce ensuite sur l'encensoir la première formule magique de la cérémonie :

– Salut à toi qui encenses les dieux qui marchent derrière Thot. Mes bras s'étendent au-dessus de toi comme ceux d'Horus ; mes doigts sont au-dessus de toi comme ceux d'Anubis, le maître de la tente divine. Je suis l'esclave vivant de Râ ; je me suis purifié et mes purifications sont celles des dieux. Ô vous, âmes divines d'Héliopolis, vous êtes sauvées et je suis sauvé et réciproquement. Vos Ka sont sauvés si mon Ka est sauvé : tous peuvent vivre si je peux vivre.

« Maintenant les deux portes du ciel sont ouvertes »

Après la purification du prêtre-magicien et de la pièce où il se trouve, la cérémonie d'ouverture du tabernacle peut avoir lieu. Elle constitue le moment le plus solennel du rituel : l'officiant coupe les liens et brise les sceaux apposés à la fin de la cérémonie précédente. Durant cette opération, le prêtre-magicien récite une formule magique qui confère à ses gestes un pouvoir encore plus grand :

– Le lien est dénoué. Le sceau est rompu. Je suis venu t'apporter l'Œil, ô Horus ! Ton Œil est à toi maintenant, ô divin Horus !

Le prêtre-magicien fait alors glisser les verrous et ouvre les deux battants de la porte du tabernacle en déclamant, à haute voix, la formule suivante :

– Les deux portes du ciel s'ouvrent ; les deux portes de la terre sont déjà ouvertes. Geb rend hommage aux dieux assis sur leurs sièges élevés. Maintenant, les deux portes du ciel sont ouvertes et les dieux resplendissent dans le ciel. Amon, seigneur de Karnak, est porté tout en haut, à la place d'honneur.

Aussitôt après avoir transféré l'Œil à Horus par l'effet de la magie et ouvert le tabernacle, le prêtre-magicien doit se prémunir contre les effets de la puissance redoutable qu'il a fait pénétrer dans la statue d'Horus. A cet effet, il récite une nouvelle formule magique qui le rend pratiquement invulnérable:

– Mon visage est une protection pour le dieu dont la face me protège à son tour. La route sur laquelle je chemine a été tracée pour moi par les dieux eux-mêmes. C'est le pharaon qui m'envoie pour voir le dieu.

Prière à Maat, déesse de l'ordre et de la vérité

Le prêtre-magicien procède ensuite à de nouveaux encensements et parfume la statue avec des onguents. Puis il l'entoure de ses bras pour lui restituer la totalité de son âme et appeler sur elle la majesté d'Amon-Râ, le dieu-soleil:

– Viens à moi, Amon-Râ, s'écrie-t-il d'une voix puissante, par la vertu de cette étreinte grâce à laquelle tu te dresses en ce jour où tu apparais à nouveau comme un maître absolu. Tu te déplaceras encore autour de la terre, tout le long de ton orbite, comme le pharaon s'est déplacé autour du mur d'enceinte, le jour où il a été consacré. Me voici! Je t'offre cette statuette de Maat, afin que l'Ordre et la Vérité t'accompagnent encore tandis que tu chemines, durant ce jour nouveau!

Après quoi, le prêtre-magicien recule de trois pas, se prosterne trois fois devant la statue, observe un long silence et récite une longue prière dédiée à Maat, la déesse de l'ordre et de la vérité:

– Je viens à toi, je suis Thot et je conduis Maat vers toi, en joignant mes mains. Maat est venue ici pour demeurer avec toi car elle se trouve en tout lieu où tu es. Salut à toi! Tu es pourvu de Maat, ô créateur de tout ce qui existe, auteur de tout ce qui est! Tu jaillis avec Maat, tu vis avec Maat, tu unis tes membres à ceux de Maat, tu fais reposer Maat sur ta tête afin qu'elle prenne place sur ton front. Tu te réjouis à la vue de ta fille Maat. Voici que les dieux et les déesses qui t'entourent viennent vers toi en portant Maat, car ils savent que tu vis de Maat. Ton œil droit est Maat; ton œil gauche est Maat; ta chair et chacun de tes membres sont Maat; ta nourriture est Maat et ta boisson est Maat. Les deux hémisphères de la terre s'avancent vers toi en portant Maat pour te donner toute l'orbite du disque solaire. Maat s'unit au disque solaire. Thot te donne Maat, avec ses mains posées sur sa beauté devant ta face. Ton Ka t'appartient quand Maat t'adore et que tes membres s'unissent aux siens... Tu existes parce que Maat existe et, réciproquement, Maat pénètre dans ta tête et se manifeste devant toi pour toute l'éternité. Maat dure éternellement parce qu'elle est l'Unique, et que c'est toi qui l'as créée. Toi seul la possèdes pour toujours, pour toute l'éternité.

Triomphe du soleil sur les ténèbres

Après de nouvelles purifications, le prêtre-magicien habille la statue avec des bandelettes de lin de diverses couleurs : d'abord blanches, puis vertes, enfin rouges. Chacun de ces gestes est, bien entendu, accompagné de formules spéciales.

Puis l'officiant applique sur la statue de nouveaux onguents parfumés, verse une poignée de sable sur son front et lui présente en offrande une certaine quantité de natron. C'est la fin du rituel. Le prêtre-magicien replace la statue dans son tabernacle, avec l'aide d'officiants, et se retire. Il a ainsi assuré le triomphe du Soleil sur les ténèbres.

Un exploit du magicien Djadjaemonkh

Si nous disposons de peu de documents sur les conditions pratiques de l'exercice de la magie aux bords du Nil – le rapport d'Ipuwet est, à cet égard, un témoignage rare – par contre la littérature populaire de l'Egypte pharaonique est pleine des exploits et des prodiges accomplis par les magiciens.

Voici d'abord Djadjaemonkh, qui florissait sous le pharaon Snéfrou, vers 2700 avant J.-C. Un jour où Snéfrou, ne sachant comment secouer l'ennui qui l'oppressait, lui demandait un remède à son mal, notre magicien lui suggéra d'aller faire une promenade en bateau, avec une vingtaine de jolies filles. Il n'y avait certes, en cet avis, rien de bien magique. Snéfrou s'y conforma et s'en alla, dans une magnifique barque, entouré de créatures ravissantes, faire une promenade.

Brusquement, l'une des jeunes filles poussa un cri : elle venait de perdre un bijou qui ornait sa chevelure. Sa tristesse fut telle que l'équipage entier, gagné par son humeur, devint morose comme elle. Alors Snéfrou envoya quérir à nouveau Djadjaemonkh.

Voici notre magicien à l'œuvre :

« Il prononça quelques mots magiques, puis il plaça une moitié de l'eau du lac sur l'autre moitié, et il retrouva le bijou qui reposait sur un tesson ; il alla le chercher, de sorte qu'il fut restitué à sa propriétaire. Or, l'eau, qui mesurait douze coudées en son milieu, était maintenant épaisse de vingt-quatre coudées, puisqu'elle avait été retournée. Le magicien prononça encore quelques paroles et il ramena les eaux du lac en leur état initial. »

La jolie fille retrouva donc son sourire, et avec elle ses compagnes et l'équipage, pour la plus grande satisfaction du pharaon Snéfrou.

Le même conte nous parle d'une sorte de magicien Gargantua, le vieux Djedi encore gaillard à cent dix ans et qui ne reculait pas devant un repas fait de cinq cents pains et d'un demi-bœuf, arrosés de cent cruches de bière !

Un enfant aux dons précoces

Le plus célèbre toutefois de tous ces magiciens d'Egypte semble avoir été un certain Horus, fils de Panéchi. Un conte fort long nous détaille ses exploits et dont nous résumons les épisodes essentiels.

Après être resté très longtemps sans enfant, le prince Satni a, enfin, un fils. Or, dès ses premières années, l'enfant manifeste une nature inhabituelle : « Quand il eut un an, on aurait dit : il a deux ans ; et quand il eut deux ans, on aurait dit : il a trois ans. »

Devenu grand et robuste, l'enfant est mis par ses parents à l'école. En peu de temps, il dépasse, en savoir, le scribe qu'on lui avait donné pour maître. A l'âge de sept ans, il réussit même à « déchiffrer les grimoires avec les scribes de la Maison de Vie du temple de Ptah, et tous ceux qui l'entendaient étaient plongés dans l'étonnement ». A l'âge de dix ans, il obtient du pharaon l'autorisation de s'appeler Horus, fils de Panéchi.

Dès lors, ses exploits se multiplient. Ainsi, il emmène son père, le prince Satni, dans le «monde inférieur», pour lui montrer quel est le sort réservé, dans l'au-delà, au riche et au pauvre.

Horus, fils de Panéchi, consume son rival dans un brasier magique

En fait, l'histoire véritable commence avec l'arrivée à la cour d'un magicien venu du Soudan qui défie les sorciers d'Egypte de lire, sans la dérouler ni briser le sceau qui la ferme, une longue lettre qu'il tient à la main. «Il n'y a plus, à cette époque, d'aussi bons magiciens qu'autrefois», nous confie l'auteur du récit, avec une pointe de nostalgie. Or voici que le jeune prodige relève le défi et lit, devant le magicien soudanais, dont la morgue peu à peu s'évanouit pour laisser la place à une vive terreur, tout le contenu de la lettre.

Le magicien étranger est donc vaincu. Pour prix de sa défaite, il doit s'engager à ne pas reparaître en Egypte pendant mille cinq cents ans. Ce temps s'étant écoulé, le sorcier soudanais se présente de nouveau à la cour d'Egypte. Alors le fils du prince Satni demande au dieu Osiris, auprès duquel il repose depuis quinze siècles, de lui permettre de revenir un moment sur la terre pour confondre, une deuxième fois, le Soudanais.

Après un duel spectaculaire, Horus le prodigieux consume son rival dans un brasier magique, puis, ayant terminé sa tâche, s'évanouit comme une ombre, laissant le pharaon et sa suite plongés dans l'émerveillement le plus vif. «Il n'y eut jamais de scribe aussi bon, ni de savant aussi instruit qu'Horus, fils de Panéchi, conclut l'auteur de ce conte, et il n'y en aura plus d'autre, au grand jamais.»

Vingt-trois ans dans les sanctuaires souterrains pour apprendre la magie

Moins sévère que l'auteur de ce conte, nous rappellerons encore le souvenir de deux magiciens qui ont droit à quelque estime. C'est à travers la tradition classique, gréco-romaine, que nous retrouverons leur trace. Ils s'appellent Pancratès et Harnouphis.

Lucien, le spirituel écrivain grec (IIe siècle avant J.-C.) auteur des *Dialogues des morts,* nous parle du premier, dans son célèbre récit du *Philopseudès;* Eucratès, son héros, revient de Haute Egypte, où il est allé écouter le «chant» du colosse de Memnon :

«En remontant le fleuve, il se trouva qu'il y avait parmi les passagers un citoyen de Memphis, un de ces scribes sacrés, homme admirable par son savoir, et versé dans toute la doctrine des Egyptiens. On disait même qu'il avait passé vingt-trois ans dans les sanctuaires souterrains, où Isis lui enseignait la magie.

– C'est Pancratès dont tu parles, s'écrie l'un des assistants ; c'est mon maître, un homme sacré, rasé, vêtu de lin, pensif, parlant grec mais mal, grand, le nez plat, les lèvres proéminentes, les jambes grêles...

– C'est lui-même, reprit Eucratès, c'est bien Pancratès... Tout d'abord, j'ignorais quel homme c'était ; mais, en le voyant, toutes les fois que le bateau jetait l'ancre, faire miracles sur miracles, en particulier chevaucher des crocodiles et nager avec des monstres, qui se courbaient devant lui et le flattaient de la queue, je reconnus que c'était un homme sacré ; et peu à peu, à force de prévenance, je devins son camarade et pénétrai si avant dans son intimité qu'il me communiquait tous ses secrets. A la fin, il m'engagea à laisser tous mes serviteurs à Memphis et à le suivre, tout seul, me disant que nous ne manquerions pas de gens pour nous servir. Dès lors, voici comment nous vivions.

L'apprenti sorcier victime de l'enchantement

«Quand nous arrivions à une hôtellerie, mon homme prenait la barre de la porte, ou le balai, ou le pilon, le recouvrait d'habits. Prononçant sur lui une formule magique, il le faisait marcher, et tout le monde le prenait pour un homme et l'objet s'en allait puiser de l'eau, faisait nos provisions, les accommodait, nous servait en tout avec adresse, et faisait nos commissions. Ensuite, lorsque le magicien n'avait plus besoin de nos services, il refaisait du balai un balai, ou du pilon un pilon, en prononçant sur lui une autre formule d'incantation. Quelque désir que j'eusse d'apprendre ce secret, je ne pus l'obtenir de lui ; il en était jaloux, bien qu'en tout le reste il se mît à mon entière disposition. Mais un jour, m'étant secrètement placé dans un coin assez obscur, j'entendis l'enchantement sans qu'il s'en aperçût. C'était un mot de trois syllabes. Il s'en alla ensuite sur la place, après avoir commandé au pilon ce qu'il avait à faire.

» Le lendemain, ce magicien étant allé de nouveau sur la place pour traiter quelque affaire, je pris le pilon, je l'habillai comme faisait l'Egyptien, je prononçai les trois syllabes et je lui ordonnai d'apporter de l'eau. Quand il eut rempli l'amphore et me l'eut apportée : « C'est assez, lui dis-je, n'apporte plus d'eau et redeviens pilon ! » Mais sans vouloir m'obéir, il en apportait toujours, tant et si bien qu'à force de puiser il eût inondé notre maison. J'étais fort embarrassé, car je craignais que Pancratès, à son retour, ne se fâchât contre moi, ce qui arriva en effet. Je prends alors une hache et je coupe le pilon en deux ; mais chacun des deux morceaux, prenant des amphores, va chercher de l'eau et au lieu d'un porteur, j'en eus deux.

» A ce moment, Pancratès survint ; il comprit ce qui s'était passé et refit de ces porteurs d'eau des morceaux de bois tels qu'ils étaient avant l'enchantement ; mais lui me quitta sans que je m'en aperçusse et disparut je ne sais où... »

Le lecteur aura, bien sûr, reconnu dans ce conte le prototype de l'histoire de l'apprenti sorcier, qui devait connaître une telle faveur par la suite. Il est intéresssant de voir, à son origine, un magicien égyptien.

Victoire des Romains sur les Quades, grâce à Harnouphis

Quant à l'autre magicien d'Egypte connu par la tradition gréco-romaine, Harnouphis, qu'une inscription découverte à Aquilée, en Italie, nomme « hiérogrammate [1] d'Egypte », nous le voyons intervenir à un moment décisif dans la guerre que Marc Aurèle menait en 172 en Moravie, contre les Quades, turbulentes tribus germaniques révoltées contre le pouvoir romain.

---

1. Scribe égyptien qui transcrivait en écriture sacrée les oracles et les prescriptions divines.

Les Barbares avaient coupé l'approvisionnement d'eau des Romains, et la troupe souffrait de la soif, faiblissait et semblait devoir être massacrée par ses adversaires, quand soudain un orage terrible s'amoncela, une pluie serrée tomba sur les Romains et les rafraîchit. Pendant ce temps, la foudre et la grêle s'abattaient sur les Quades, décimant leurs rangs. Un relief de la colonne Aurélienne montre même que beaucoup d'entre eux furent noyés par le déluge et emportés par les torrents.

Or, si nous croyons Dion Cassius, «on rapporte qu'un certain Harnouphis, mage égyptien de l'entourage de Marc Aurèle, appela des génies par art magique, notamment Hermès Aérios, et, par leur entremise, provoqua, dit-on, la pluie».

Eloge de magicien Im-Ho-Râ par lui-même

Nous pourrions multiplier les exemples semblables en puisant, dans la riche et passionnante littérature populaire égyptienne, mille et un exploits de magiciens.

Mais, sur les pouvoirs aussi étendus que mystérieux de ces magiciens, nous disposons d'un excellent document direct. Il s'agit de l'éloge du magicien Im-Ho-Râ par lui-même, tel qu'il apparaît dans une tablette conservée au musée du Louvre :

> «*Je connais le secret des hiéroglyphes*
> *et je sais comment s'accomplissent les offrandes rituelles.*
> *J'ai appris toutes les formes de la magie*
> *et aucune ne m'est étrangère.*
> *En vérité, je suis un excellent exécutant*
> *dans l'art qui est le mien,*
> *et ma supériorité est le résultat de mes connaissances.*
> *Les formules et les proportions des mélanges me sont*
> *connues*
> *et je n'ignore rien des poids qui ont été fixés;*
> *je sais comment réduire la taille d'un personnage*
> *ou, au contraire, le mettre en relief, selon le cas,*

pour donner l'impression qu'il sort ou qu'il entre ;
et je sais placer un corps à l'endroit précis où il doit
se trouver.
Je connais les mouvements
que n'importe quel personnage peut faire,
la démarche d'une femme,
l'attitude de quelqu'un qui se tient debout,
la position du prisonnier accroupi
dont le visage est voilé de tristesse,
le regard qu'un œil lance à un autre œil,
la terreur inscrite sur la face de celui qu'on vient de capturer,
l'équilibre du bras de celui qui frappe l'hippopotame,
l'allure du pas de celui qui marche rapidement.
Je sais faire des émaux et des objets en or fondu
sans qu'ils soient brûlés par la chaleur
et sans que leurs couleurs soient délavées par l'eau.
Je n'ai rien révélé de ce que je sais à personne
sauf à moi-même et à mon fils aîné
parce que le dieu m'avait ordonné
de lui révéler les choses que je sais. »

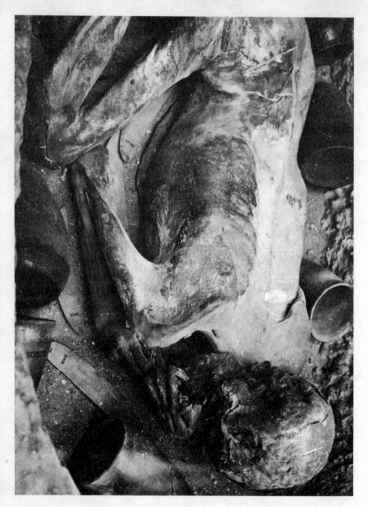

Le peuple égyptien avait «la passion de la mort». Le défunt possède un corps, une âme, le Bâ et un esprit le Kâ. Celui-ci est responsable de la Vie après la mort. Et c'est à son intention que le corps est embaumé, afin qu'il puisse le réutiliser à tout moment. Cette momie date de la période prédynastique, c'est-à-dire de 3500 ans av. J.-C. British Museum. *Goldner.*

Chapitre II

MALÉFICES, TALISMANS ET AMULETTES

DANS la société égyptienne où la magie est particulièrement en honneur, tout être et toute chose, on l'a dit, sont animés d'un Esprit, analogue à celui qui meut le corps. Il n'y a rien dans la nature qui soit inerte, dépourvu de conscience ou de volonté.

Tout être, tout objet peut agir pour ou contre les hommes, et réciproquement le magicien peut avoir une action sur tout être et tout objet qu'il atteint dans leur corps et dans leur esprit. D'où le nombre à peu près illimité de domaines où s'exerce l'activité du magicien.

Grâce à ses talismans, à ses amulettes, à ses baguettes magiques, grâce à ses sortilèges, ses enchantements, grâce surtout à la redoutable efficacité de ses formules, le magicien exerce une puissance souveraine.

Exorciser les mauvais démons

Il est d'abord le médecin, l'«homme qui connaît tous les secrets du corps», «celui qui détient l'art de terrasser la déesse Sekhmet». Dans les croyances égyptiennes, Sekhmet est la divinité redoutable qui «envoie les maladies parmi les mortels». Et, quand ces maladies ne sont pas «envoyées» par la terrible déesse, elles sont dues, croit-on, à la malveillance de quelque esprit pervers, au mauvais œil lancé par un ennemi, à l'hostilité de quelque revenant... Il s'agit moins, dans l'opinion populaire, de lutter contre une cause physique du mal que d'exorciser le mauvais démon et le contraindre à lâcher sa proie : rien de tel, pour assurer un semblable résultat, qu'une bonne formule que le magicien saura trouver dans les livres secrets.

A cet égard, ce ne sont pas les formulaires magiques qui manquent. A Abydos, à Héliopolis, à Saïs et un peu partout dans l'Egypte pharaonique, les fouilles ont permis la mise au jour d'un grand nombre de papyrus magiques qui fournissent au médecin-magicien les moyens de combattre toutes sortes de maux.

Certaines formules sont d'une remarquable concision. Ainsi, pour lutter contre les fièvres malignes, un document magique indique qu'il suffit, pour les supprimer, de prononcer à haute et intelligible voix : «Haray ! Haray ! ô ô ô Chak Arô Nouf !»

«Recule, ô venin mortel !»

D'autres formules magiques sont plus développées et font intervenir les divinités. Ici, par exemple, le malade est un enfant qui vient d'être piqué par un serpent. Le médecin-magicien doit donc vaincre le venin qui menace la vie de l'enfant. Pour ce faire, il identifie, dans la formule qu'il va réciter, l'enfant malade à Horus. Le fils d'Isis et d'Osiris a été, on le sait, élevé dans les marais ; il aurait pu être piqué, comme cet enfant, par un serpent. Il doit donc intervenir pour faire disparaître le venin. C'est là une des constantes de la magie égyptienne que d'«impliquer» en quelque sorte les dieux dans les affaires humaines. Ainsi, dit le magicien :

«Recule, *ô venin mortel !* Tu es exorcisé par l'enchantement de Râ. C'est la parole du plus grand de tous les dieux qui te chasse. La barque de Râ demeurera arrêtée et le soleil restera immobile jusqu'à la guérison d'Horus dont sa mère se réjouira. Sors, ô venin ! Tombe à terre, afin que la barque puisse recommencer à naviguer dans le ciel. Il n'y aura de nourriture pour personne et les temples resteront clos jusqu'à la guérison d'Horus dont sa mère se réjouira. La grande misère du monde continuera jusqu'à la guérison d'Horus dont sa mère se réjouira. Les ténèbres envahiront tout : la lueur du jour disparaîtra et l'on ne pourra plus voir l'ombre d'un seul être vivant, jusqu'à la guérison d'Horus dont sa mère se réjouira. Les sources demeureront taries, le grain se flétrira sans mûrir ; la végétation n'apparaîtra plus aux hommes jusqu'à la guérison d'Horus dont sa mère se réjouira... Sors donc, ô venin ! Tombe à terre ! Voici, le venin est mort. La fièvre ne brûle plus l'enfant. Retournez tous dans vos maisons ! Horus revit pour la plus grande joie de sa mère. Je parlerai à Râ et je lui dirai que l'enfant est vivant et bien portant et que sa mère s'en réjouit. Désormais, le venin n'a plus aucun pouvoir sur le corps de cet enfant ; Horus est sauvé et il vivra. »

La médecine égyptienne, fort en avance sur son temps

Naturellement, le médecin-magicien ne se contente pas toujours de réciter des formules magiques. Il tente également de guérir son patient en faisant appel à des connaissances proprement médicales. Et nous savons, par les témoignages d'auteurs anciens, que la médecine égyptienne était l'une des meilleures médecines du bassin méditerranéen : Hippocrate lui-même, dit-on, s'est rendu sur les bords du Nil pour perfectionner son art.

Ainsi, le *Papyrus magique du Vatican,* qui a été longuement étudié et traduit par l'égyptologue Rachewiltz, nous montre un médecin-magicien préparant une potion médicale à base d'herbes variées. Quant au *Papyrus Edwin Smith,* qui date de l'Ancien Empire, il donne même le début d'un traité chirurgical. Il commence par les blessures à la tête, puis au tronc, et passe en revue pratiquement toutes les parties du corps humain. Chaque cas comprend une description clinique, un diagnostic, une indication sur les chances de guérison, et un traitement approprié. Un autre papyrus, le *Papyrus Harris,* montre que la spécialisation médicale était assez poussée : il y avait des chirurgiens, des oculistes et même des gastrologues. On soignait aussi les dents et Paul Ghaliounghi, dans son ouvrage *Magic and medical science in ancient Egypt* (Londres, 1963), affirme même qu'on exécutait des plombages à la chrysocolle !

Néanmoins, la médecine égyptienne demeure encore fort mal connue. Un assez grand nombre de remèdes différents sont donnés pour une même maladie et les documents qui nous sont parvenus ne précisent pas l'emploi particulier de chacun d'eux.

La santé magique d'Horus

Si nous ne connaissons donc pas d'une façon précise et détaillée les techniques et les procédés de la médecine égyptienne, nous disposons d'un très grand nombre de documents, on l'a dit, sur les pratiques et surtout sur les formules magiques utilisées par les médecins-magiciens de l'Egypte antique.

Ainsi, les morsures de serpents et de scorpions sont soignées avec des herbes dont les propriétés thérapeutiques étaient renforcées par la puissance incluse dans des formules magiques. Souvent le texte de celles-ci comporte des passages entiers rappelant les lamentations d'Isis et l'intervention de Thot pour la guérison d'Horus : nous retrouvons, là encore, le souci constant du médecin-magicien d'impliquer les divinités dans le processus de la guérison. «Son corps était flasque et son cœur si faible que l'on ne sentait plus les battements de son pouls, lit-on dans un de ces textes. Je criai à pleins poumons, je l'appelai par son nom, mais mon petit enfant était trop affaibli pour pouvoir me répondre. Mes seins étaient gonflés, mais le petit voulait encore du lait; mes seins étaient une fontaine débordante, mais le petit avait encore soif. Pourquoi avait-on fait cela à un enfant innocent, à un enfant qui n'était pas encore sevré?... Les habitants du marais, les pêcheurs qui vivaient là, sortirent tous de leurs huttes et vinrent à mon secours quand je les appelai. Tous se mirent à pleurer avec moi en poussant de grands cris mais aucun ne pouvait guérir mon enfant avec une formule magique. Alors une femme possédant une grande sagesse apparut tenant dans sa main le signe de la vie[1]. Elle dit à haute voix : «L'enfant est protégé contre la malveillance de son Seth. La mort ne peut s'installer dans son corps car ce signe de vie a été créé par

---

1.   La croix ansée Ankh.

Atoum lui-même, le père des dieux qui est au ciel. En vérité, Horus sera guéri de cette maladie qui le fait souffrir et il vivra.»

Thot, invoqué par Isis, ému par ses lamentations, accourt et se présente à la déesse éplorée pour guérir son enfant: «Ne crains rien, divine Isis. Et toi, Nephtys, ne pleure pas. Je suis descendu du ciel avec le souffle de vie pour guérir l'enfant, pour réjouir le cœur de sa mère. Horus! Que ton cœur retrouve sa force et la fièvre ne l'affaiblira pas. La santé magique d'Horus sera la même que celle du soleil qui illumine le monde avec les rayons de ses yeux.»

Ô venin, toi qui es impur, te voici sans force!

A la fin de cette évocation mythologique des malheurs survenus à Horus, le magicien lance sa terrible imprécation contre le venin.

«Ô venin, tu ne surgis pas sur son front! Thot est contre toi et il est le maître de son front. Il n'y a aucun endroit où tu puisses te fixer. A terre, ô venin! Je te chasse dehors, je te rends pur. Tu es détruit, tu es neutralisé, tu es extrait de tous les membres de X... fils de Y... Ô venin, toi qui es impur, te voici sans force, tu es aveugle et tu ne vois pas, tu es détruit! Ne lève pas ton visage, tu tombes et tu es malhabile, tu es affaibli et tu n'as plus de dents. Le moment de ta perte est venu. Tu ne trouves plus ton chemin, tu es pris, tu n'as plus de force et tu vas mourir... Tu ne surgis pas sur ses lèvres. La grande Seshat est contre toi et elle est la maîtresse de ses lèvres. Tu ne surgis pas sur sa langue. Nefertoum est contre toi... Tu ne surgis pas dans sa gorge: celui qui chante est contre toi, le chanteur sacré qui, chaque jour, réjouit tous les dieux. Tu ne surgis pas sur son cou: Oudjat est contre toi et il est le seigneur de son cou...»

Des stèles miraculeuses dotées de pouvoirs étonnants

L'arsenal traditionnel du médecin-magicien d'Egypte comporte également des statuettes ou des stèles magiques «consacrées». Ces objets, dotés de pouvoirs étonnants, protègent en principe les individus contre n'importe quel danger et, plus particulièrement, à l'occasion des grands voyages accomplis dans le désert, contre les morsures des serpents et les piqûres des scorpions. Ces stèles étaient entièrement recouvertes par des formules et des symboles magiques représentant de nombreux dieux appartenant au monde de la magie.

Pour assurer la protection de ceux qui viennent le consulter, le magicien verse de l'eau sur la stèle, en ayant soin de la faire couler exactement de haut en bas : de cette manière, l'eau, au contact de la stèle, se charge des fluides magiques dégagés par les symboles gravés. Cette opération terminée, on fait boire cette eau à celui qui est malade ou qui se prépare à entreprendre un voyage périlleux.

Il semble que la stèle miraculeuse la plus répandue ait été celle que l'on appelle le « cippe d'Horus ». L'un de ses exemplaires les plus importants est la stèle de Metternich que l'égyptologue Golénischeff a pu déchiffrer en totalité. On y voit le jeune Horus en train de piétiner un crocodile tandis qu'il serre dans ses mains des lions, des serpents, des scorpions, c'est-à-dire tous les animaux qui pouvaient être dangereux pour les voyageurs se déplaçant à la lisière du désert ou dans les zones boisées de la vallée du Nil.

Le miel, si doux pour les vivants et si amer pour les morts

Sur la stèle de Metternich, comme sur d'autres d'ailleurs, Horus est affublé du masque grotesque du dieu Bes, une des divinités de l'initiation aux mystères et au monde de la magie. Parfois, Horus est représenté avec sa tête de faucon et il transperce avec une lance ou des flèches des bêtes telles que des crocodiles, des hippopotames ou des fauves.

Selon les croyances égyptiennes, toute cette imagerie ornant les stèles magiques agissait sur le monde concret : elle avait, entre autres pouvoirs, celui de paralyser les animaux dangereux que le voyageur rencontrait sur son chemin. Naturellement, cette action favorable ne pouvait s'exercer que s'il avait, avant de se mettre en route, accompli les cérémonies propitiatoires exigées par le rituel. Parfois, le voyageur peut effectuer cette opération sans l'intervention du magicien. Il lui suffit alors d'embrasser la stèle en exprimant par son comportement les marques de la plus totale vénération à l'égard de celle-ci. En agissant ainsi, il lui rend hommage, en la suppliant de lui accorder sa protection.

Ces stèles magiques, outre le fait de protéger les voyageurs, assurent, selon les croyances populaires, la sauvegarde des enfants menacés par les démons de la maladie et de la mort. Une stèle trouvée près de Thèbes porte le texte d'une formule magique de conjuration utilisée par une mère qui s'adresse ainsi à la mort:

> *«Sans doute es-tu venue pour embrasser ce petit enfant?*
> *Je ne te permettrai pas de l'embrasser.*
> *Peut-être es-tu venue pour le rendre muet?*
> *Je ne te permettrai pas de le contraindre à se taire.*
> *Peut-être es-tu venue pour lui faire du mal?*
> *Je ne te permettrai pas de lui nuire*
> *en quoi que ce soit.*
> *Peut-être es-tu venue pour me le prendre*
> *et l'enlever à la vie?*
> *Je ne te permettrai pas de me séparer de lui.*
> *J'ai fait appel à une protection magique*
> *pour le défendre contre toi;*
> *pour cela, j'ai utilisé l'ail que tu détestes*
> *et j'ai pris aussi le miel, si doux pour les hommes*
> *mais que les morts trouvent si amer.»*

Formules magiques anticonceptionnelles

Les magiciens interviennent également pour sauver les enfants nés prématurément: lorsqu'une femme accouche avant le terme normal de sa grossesse, il ne lui reste plus, à cette époque, qu'à s'en remettre à la magie. Le médecin-magicien place, autour du cou de l'enfant né avant terme, un collier fait de quatre perles, de petites sphères d'ivoire et de sept pièces d'or: le tout est assemblé par sept fils de lin tressés par deux sœurs utérines, en hommage aux déesses Isis et Nephtys.

Les pratiques anticonceptionnelles, auxquelles les femmes égyptiennes avaient souvent recours, sont fondées également sur des recettes magiques. Il s'agit alors d'éviter que la déesse Hathor, protectrice de l'amour, et Ta-Ourt, la déesse-hippopotame, patronne de la maternité, rendent féconds les rapports sexuels. Des formules magiques appropriées sont censées empêcher la fécondité de la femme.

La grenouille, incarnation de la déesse Hekhet

Outre les stèles magiques, les magiciens de l'ancienne Egypte utilisent, on l'a dit, les talismans, amulettes et symboles qu'on a retrouvés en très grand nombre lors des fouilles effectuées dans la vallée du Nil.

Intermédiaires entre les stèles et les talismans sont les baguettes magiques, souvent fabriquées en stéarine vitrifiée. Plusieurs exemplaires de ces baguettes sont conservés actuellement au musée du Caire et au British Museum. Les quatre faces en sont souvent ornées de dessins représentant des bêtes sauvages ou, plus simplement, des grenouilles. Cet animal était considéré, dans l'antique Egypte, comme l'incarnation de la déesse Hekhet, patronne des naissances: par sa présence figurée sur la baguette, la grenouille doit, en principe, assurer la fécondité, les grossesses exemptes de complications et, enfin, les accouchements peu douloureux.

Parmi les symboles magiques fréquemment représentés sur les baguettes, nous trouvons l'œil sacré, Oudjat, qui doit combattre les bêtes féroces: crocodiles, lions, babouins et serpents.

Les deux bracelets d'Hornekhti

Autres éléments de l'arsenal du magicien sont les bracelets magiques auxquels l'imagination populaire accorde une grande efficacité. Fabriqués dans les matériaux les plus divers, ces bracelets sont destinés aussi bien aux morts qu'aux vivants. Ils portent, comme les baguettes, des formules magiques et des symboles.

Les égyptologues ont découvert deux de ces bracelets, d'une très grande beauté, dans la nécropole royale de Tanis. Ils ont appartenu à un certain Hornekhti qui avait attribué à chacun un rôle bien précis. Le premier devait le protéger durant son séjour sur cette terre; le second devait lui permettre d'accomplir, dans les meilleures conditions possibles, le long voyage qu'il aurait à faire dans l'au-delà.

Sur le premier de ces bracelets, sont représentés huit décans, génies de huit des trente-six régions célestes, et six dieux: Osiris, Horus, Thot, Isis, Nephtys et une divinité à tête de lion qui n'a pu être identifiée avec certitude par les égyptologues. Sur la face où sont gravés les noms des dieux, on peut lire ceci: «Voici les paroles prononcées par les dieux et les déesses du ciel, de la terre et de l'au-delà: «Nous faisons en sorte que ta protection magique soit assurée. Que les images des dieux et les décans gardent ton corps en vie pour l'éternité. La mère divine est un bouclier placé devant toi alors que tu t'en vas au milieu des antilopes et des oiseaux. Le premier prophète d'Amon-Râ-Sonter, fils royal de son ventre, Hornekhti, son bien-aimé, est votre fils. Sa mère est l'épouse royale, fille du Seigneur des Deux Terres, Karoama.»

Le second bracelet comporte vingt-six décans et une brève formule: «Nous assurons la protection magique du premier prophète d'Amon-Râ, fils royal du Seigneur des Deux Terres, Hornekhti, celui qui est juste de voix.»

Le scarabée, emblème de la résurrection

De même que les bracelets, les amulettes sont portées aussi bien par les vivants que par les morts. Elles sont considérées comme également efficaces contre toutes sortes de dangers.

Selon la classification établie par l'égyptologue Boris de Rachewiltz, les symboles les plus fréquemment représentés sur ces amulettes sont le disque solaire ailé, le scarabée, le soleil, le pilier sacré, l'Œil sacré Oudjat, Isis au milieu des papyrus, la croix ansée, le nœud d'Isis et les couronnes du royaume d'Egypte.

Le disque solaire est considéré comme générateur de fluides cosmiques capables de vaincre tous les maux. Parfois, le disque est muni de deux bras à l'extrémité desquels pend la croix ansée ou le cartouche du pharaon. Souvent, au lieu de bras, on voit deux serpents suspendus au disque solaire; ils symbolisent les deux déesses patronnes de la Haute et de la Basse Egypte.

Quant au scarabée, il est l'emblème de la résurrection. Pour figurer le dieu naissant, Râ-Atoum, au premier matin de la création, on représente l'insecte sortant de terre à l'instant précis où s'achève sa métamorphose larvaire. Sur de nombreuses amulettes, on voit aussi le scarabée ailé auprès du dieu-soleil figuré par un personnage ithyphallique (avec phallus en érection) pourvu de quatre têtes de bélier.

Le soleil apparaissant à l'horizon figure le prépuce de Râ, le dieu qui s'est mutilé lui-même et dont les gouttes de sang donnèrent la vie aux dieux et aux hommes, selon l'un des mythes racontant l'origine de l'humanité. Pour mieux rappeler cet événement particulièrement cruel de la mythologie égyptienne, l'amulette qui porte ce symbole est souvent rouge.

La croix ansée, symbole de la vie

Le symbole magique de l'Œil sacré Oudjat est lié au mythe de la Grande Querelle, déjà évoquée, entre Horus et Seth. A un moment donné au cours de cette lutte fratricide, Seth arracha à son adversaire un œil. Peu après, Thot retrouva l'œil et le rendit à Horus. Le mot Oudjat signifie précisément: en bon état.

C'est encore au mythe d'Horus que se rattachent les amulettes sur lesquelles on voit Isis au milieu des papyrus du delta du Nil. La déesse, on l'a vu, avait réussi à déjouer toutes les tentatives hostiles et toutes les fourberies de Seth; elle avait protégé efficacement son petit enfant contre les attaques des bêtes féroces et des reptiles. Ces prouesses ont conféré naturellement un haut pouvoir magique aux amulettes figurant Isis en train d'allaiter son enfant Horus parmi les papyrus, dans les marécages du delta.

Quant à la croix ansée, très répandue comme amulette, elle est le symbole même de la vie, de l'essence vitale émanant des dieux. A toutes les époques de l'histoire du pays, cet emblème figure dans l'iconographie égyptienne. On note plus particulièrement sa présence sur les murs des tombeaux et des temples: dans les premiers, pour assurer la vie de l'esprit du défunt, dans les seconds, pour affirmer que la divinité est l'unique origine de la vie sur la terre.

Le nœud d'Isis, lui aussi, est une amulette fort populaire, que l'on retrouve partout en Egypte. Ce nœud qui symbolise Isis, la Grande Magicienne, déesse souveraine de la mythologie égyptienne, a survécu jusqu'à aujourd'hui et il n'est pas rare de voir, dans les souks du Caire ou d'Alexandrie, vendre des amulettes semblables.

Enfin les couronnes du royaume d'Egypte confèrent, dans la tradition populaire, à ceux qui les portent une double protection contre les maladies et contre la jalousie.

Rites célébrés à l'intérieur des tombeaux

Comme on le voit, la vie quotidienne en Egypte est constamment placée sous le signe de la magie.

Dans cet ordre d'idées, il nous faut également signaler l'existence de certains rites exécutés par les magiciens égyptiens pour assurer la fécondité de l'année agraire. Ces rites sont souvent célébrés à l'intérieur même des tombeaux. L'un d'eux s'appelle «l'enchantement pour devenir grain de froment».

Le magicien confectionne un mannequin qui a l'apparence d'une momie et qui est rempli de grains de blé. Dans la pénombre du corridor sacré conduisant à la chambre funéraire, ce simulacre de momie est arrosé généreusement jusqu'à ce que les grains germent et que les tiges des futurs épis de froment fassent leur apparition. Lorsque l'opération est parvenue à ce point, le prêtre-magicien déclame alors l'hymne de la germination :

> *«Je suis la plante de la vie,*
> *celle qui jaillit du corps d'Osiris ;*
> *cette vie qui naît entre les côtes d'Osiris,*
> *d'Osiris qui fait vivre les êtres humains,*
> *ce même Osiris qui donne leur divinité à tous les dieux ;*
> *lui qui donne l'esprit aux esprits*
> *et qui apporte la richesse à ceux qui possèdent les champs,*
> *lui qui fournit les fouaces[1] pour les esprits.*

---

1. Pain fait de fleur de farine.

Osiris qui ranime les vivants,
Osiris qui redonne la vie à leurs membres.
Comme le grain, je vis la vie des vivants ;
je jaillis entre les côtes de Geb
et je suis aimé dans le ciel, sur terre,
dans les eaux et dans les champs.
Maintenant, Isis est heureuse
à cause d'Horus, son divin fils ;
elle est remplie de joie par lui, son dieu.
Je suis la vie qui jaillit du sein d'Osiris.»

Les toupies magiques de Sakkara

D'autres témoignages retrouvés dans les tombes et les temples nous montrent la participation active du magicien égyptien à la vie agricole du pays.

Ainsi, à Philae, en Haute-Egypte, immédiatement en amont de la 1re cataracte, sur un bas-relief, on voit un prêtre-magicien en train d'asperger avec de l'eau lustrale la momie d'Osiris. Vingt épis de blé se dressent au-dessus du corps du dieu ; ce détail de la composition symbolise les pouvoirs attribués essentiellement à Osiris : d'une part, ressusciter et donner la vie ; d'autre part, protéger les moissons de son peuple.

Le rôle du magicien dans les manifestations agricoles apparaît également à travers les amulettes et les formules magiques par lesquelles les Egyptiens s'assurent de réussir lorsqu'ils vont à la chasse ou à la pêche. Par exemple à Sakkara, entre Memphis et Giseh, en Basse Egypte, on a découvert, dans la tombe d'un vizir, des toupies magiques sur lesquelles sont représentés des scènes de chasse ainsi que des pièges utilisés pour la capture d'animaux de grande taille ou de gibier plus petit.

Avant de partir à la chasse, l'Egyptien fait tourner longuement ces toupies, dont le rôle est double : d'abord, elles doivent indiquer, pour une journée déterminée, le procédé le plus efficace pour remplir la gibecière ; ensuite, elles doivent avoir une influence propice sur le déroulement de l'expédition en incitant le gibier à suivre le parcours le conduisant directement vers les pièges posés par le chasseur. Le protecteur des chasseurs est Anouris, un dieu guerrier, lui-même grand chasseur.

Des sortilèges semblables sont mis à contribution par l'Egyptien de l'Antiquité pour être heureux à la pêche, pratiquée sur le Nil à bord de barques spéciales ou sur les rives du fleuve ou encore dans les véritables forêts de papyrus couvrant les zones du delta. Les amulettes ornées de scènes de pêche doivent, selon les croyances de l'époque, aider le pêcheur à ramener chez lui de grandes quantités de poisson.

Le versant noir de la magie égyptienne

Tous ces aspects que nous venons d'évoquer relèvent, si l'on peut dire, de la magie blanche. C'est le versant bénéfique du rôle du magicien qui combat les poisons, lutte contre les maladies, confectionne des amulettes pour aider pêcheurs et chasseurs. Mais il y a l'autre face de la magie égyptienne, son versant maléfique, la magie noire, sur laquelle nous possédons aussi de nombreux documents.

Le *Papyrus magique Rollin*, par exemple, retrouvé dans un temple, près d'Edfou, en Haute Egypte, entre Thèbes et l'actuelle Assouan, nous décrit brièvement l'action d'un magicien spécialiste de l'envoûtement à distance : « Il se mit à pratiquer la magie dans le but de paralyser les hommes et de les contraindre à rester dans l'endroit où ils se trouvaient, afin de provoquer des désastres. Avec de la cire, il fabriqua de nombreuses statuettes ayant des formes humaines qu'il utilisait pour plonger dans l'inertie la plus complète les individus qu'elles représentaient, suivant le plan qu'il avait établi. »

Un autre papyrus, le *Papyrus Bremmer-Rhind* décrit le rituel magique destiné à neutraliser, en même temps que le dragon Apep, les ennemis du pharaon : « Les formules magiques doivent être prononcées par un homme chaste et purifié. Ecrire à l'encre verte sur des feuilles de papyrus vierges, les noms de tous les ennemis du pharaon, qu'ils soient vivants ou morts, ainsi que les noms de tous ceux qui sont suspects à un titre quelconque, et les noms de leurs pères, de leurs mères et de leurs enfants ; faire également une statuette en cire pour représenter chacune de ces personnes et graver son nom dessus. Lier ensuite les feuilles de papyrus avec une plume de pigeon noir. Cracher dessus et les piétiner avec le pied gauche; puis, les transpercer avec un javelot ayant une pointe métallique, si possible en fer. Les jeter enfin dans le feu et les y faire brûler jusqu'à ce qu'elles soient parfaitement réduites en cendres.»

«Tombe à terre, ô abomination venue de Sokaris»

Plusieurs autres documents archéologiques confirment que les pharaons font appel à la magie noire pour soumettre ou vaincre leurs ennemis.

Sur ordre du pharaon, le magicien modèle des statuettes d'argile sur lesquelles il grave les noms des ennemis des pharaons ainsi que ceux des rebelles. Puis, il brise ces effigies, en récitant des formules imprécatoires appropriées. Selon le texte d'une stèle retrouvée près de Dendérah, en Haute Egypte, un magicien fut appelé au secours du pharaon et invité à exterminer, par des passes magiques appropriées, «les ennemis de l'Egypte habitant dans les régions de l'Asie». La stèle ne mentionne malheureusement pas le nom de ces ennemis.

Un autre document, conservé au musée de Hanovre, nous livre le texte des imprécations lancées contre Cambyse, le roi des Perses dont l'armée subit une sanglante défaite dans les environs de l'oasis d'El Bayariyeh (l'actuelle bourgade de Djesdjes):

> *«Tombe à terre! Tombe à terre!*
> *ô abomination venue de Sokaris!*
> *Tu as levé le bras contre l'Œil de Râ*
> *et tu as capturé les fils d'Horus.*
> *Cours vers Sekhmet:*
> *qu'elle brûle tes chairs,*
> *qu'elle tranche tes doigts,*
> *qu'elle repousse la plante de tes pieds*
> *loin de la terre d'Egypte.*
> *Que ton fils ne puisse monter sur le trône.*
> *Si tu ne fuis pas, l'oasis de Djesdjes te détruira.*

Ô ennemi de l'Œil d'Horus :
que sa flamme brûle ton ventre
et que ses coups marquent ta chair.
Que le malheur te frappe pendant le temps
que tu as encore à passer
sur terre.
Ne me fais pas de mal, ô étranger.»

Des figurines magiques sur l'autel des sacrifices

Selon un autre texte retrouvé dans le temple d'Edfou, le but assigné à la magie noire est le suivant : «Intimider et soumettre les hommes par la terreur; contraindre l'Egypte ainsi que les territoires et les habitants de tous les pays étrangers à accepter la domination du pharaon aux pieds duquel ils seront désormais placés.»

Dans un formulaire datant de l'époque ptolémaïque, celle où les influences grecque puis romaine s'étendent sur l'Egypte, et provenant également d'Edfou, on voit un filet destiné à capturer les oiseaux. Ces oiseaux, symboles des ennemis du pharaon, tentent de s'enfuir. Dans la scène finale, ils sont pris et enserrés dans le filet : conformément aux principes de la magie égyptienne, la capture de ces oiseaux représente le triomphe du pharaon sur ses ennemis.

Le même formulaire indique, par ailleurs, la marche à suivre et les paroles magiques à prononcer afin d'obtenir la victoire : «Pour soumettre les hommes et placer les Deux Terres, les territoires et les montagnes, où que ce soit dans l'univers, sous la domination du pharaon, il y a lieu de prononcer les formules des enchantements magiques tandis que l'on repousse symboliquement les assauts des ennemis attaquant sur tous les côtés à la fois. Les noms de ces ennemis doivent être inscrits avec de l'encre fraîche sur la poitrine de chacune des figurines qui les représentent; on déposera ensuite ces figurines sur l'autel des sacrifices. Les enchantements doivent être prononcés quatre fois à l'aube, deux fois à la dixième heure du jour et, toujours, en présence de la statue d'Horus en train de livrer combat à ses adversaires. Dire alors : «Horus Imy-Senout se dresse contre vous.» Les ennemis sont soumis; les chefs des révoltés, les souverains de tous les pays d'Asie et tous leurs dignitaires, leurs princes, leurs soldats, leurs magiciens et leurs magiciennes, tous ceux qui sont grands et puissants dans leur pays, toux ceux-là sont prisonniers. Enchaînés les uns aux autres, tous ces captifs sont conduits devant le pharaon et jetés sous ses pieds. Il s'empare des cœurs et déclare : «Vous n'avez plus aucun droit sur tout ce qui vous appartient quand je me dresse contre vous, moi Horus, fils d'Isis et protecteur de mon père Osiris. Le pharaon vous frappe car il est l'égal du faucon sacré. Disparaissez! Reculez devant le pharaon comme vous reculeriez devant Horus! Retirez-vous, ennemis de Râ! Soyez tous détruits, du premier jusqu'au dernier! Et que tous les souverains de tous les lieux d'Asie, tous leurs grands personnages, leurs chefs, leurs soldats, leurs magiciens et leurs magiciennes, ainsi que tous ceux qui sont puissants dans leurs pays, se retirent en même temps que vous. Disparaissez, vous tous qui pensez que vous ne serez jamais capturés, vous qui vous êtes dissimulés et fortifiés à l'intérieur de vos cités! Soyez pris dans le filet durant la nuit si vous n'y tombez pas alors que le jour brille encore! Soyez capturés, vous et vos fils, si vous n'êtes pas déjà prisonniers, vous et vos frères!»

L'Œil sacré veille sur son seigneur!

Il n'y a pas que les ennemis du pharaon qui soient victimes des sombres pratiques de la magie noire : les dieux eux-mêmes n'y échappent pas.

Un étonnant document, conservé au musée du Louvre, nous renseigne, d'une façon précise, sur les méthodes à utiliser pour abattre la méchante divinité Seth qui est, on l'a vu, le meurtrier d'Osiris et le persécuteur de son fils Horus : «Apporter une statuette de cire rouge représentant Seth. Sur la poitrine de celle-ci, écrire son nom *«Seth, le misérable»* puis, avec de l'encre fraîche, reproduire ce nom sur une feuille de papyrus vierge. Nouer un lien de laine rouge autour de la statuette et prononcer, sur celle-ci, la formule suivante : «Attachez, attachez, ô vous qui êtes chargés des cordes! Tenez bon, tenez bon, ô vous qui êtes chargés des lassos! Seth, fils de Nout, ce misérable ennemi, ainsi que ses alliés sont en votre pouvoir. Il a fait le mal, il a agi avec violence. C'est par pure malice que la révolte s'est emparée de son esprit. Il n'est pas parvenu à vaincre, dans le ventre de sa mère, celui qui, étant l'Aîné, avait déjà reçu la couronne avant d'être mis au monde et fait roi ; il a conçu le mal avant même de sortir du ventre maternel. Il a créé le désordre avant même d'avoir un nom. Faites retomber le mal sur celui qui l'a inventé ! Que celui qui a comploté subisse les conséquences de ses forfaits ! »

» Cracher quatre fois sur la figurine et prononcer la formule qui convient. La transpercer avec une flèche et prononcer la formule appropriée. Lui porter des coups de couteau en prononçant la formule prescrite. Cracher à nouveau plusieurs fois sur la figurine pendant qu'elle brûle dans le feu et réciter la formule convenable.

» A la fin de la cérémonie magique, dire le texte suivant qui en est la conclusion : « Viens, Osiris, seigneur de Boutsiris, Khentamentyiou, grand dieu, souverain d'Abydos ! Regarde le succès remporté ce jour ! Le pharaon a anéanti tes ennemis et il l'a fait pour toi. Il a conduit Seth devant toi, un Seth enchaîné, blessé aux bras, atteint aux jambes. L'Œil sacré veille sur son seigneur. Le misérable Seth, attaché solidement, est aux mains d'Horus de Manou. »

Des philtres d'amour au pouvoir infaillible

Le domaine de la magie noire le plus populaire dans l'Egypte pharaonique, et sur lequel nous possédons le plus de documents, concerne les recettes aphrodisiaques et les philtres d'amour. Une activité fort lucrative, car les magiciens, sollicités de rédiger des formules d'enchantement, les faisaient payer fort cher à leurs clients.

Plusieurs documents, conservés à Londres, au British Museum, nous donnent la recette infaillible qui transformera les femmes les plus réticentes en amoureuses éperdues : « Prends une dose de baume égyptien, une dose de malabrathrum, une dose de kousht, une dose de parum et deux loks d'huile pure. Mélange le tout et dépose-le dans un récipient propre. Un jour avant le début de la lunaison, verse l'huile sur les feuilles triturées et sur le parfum. Quand la lunaison commence, prends un poison noir long de neuf doigts et un autre poisson ayant les yeux tachetés et mesurant sept doigts de long ; fais-les

tremper dans cette huile pendant deux jours. Récite la formule au-
dessus de cette huile, à l'aube, avant de sortir de ta maison et sans
avoir, auparavant, adressé la parole à qui que ce soit sur terre. Laisse
s'écouler deux jours puis, au matin du troisième, lève-toi de bonne
heure et rends-toi dans une vigne. Tu y prendras un sarment n'ayant
pas encore produit de grappe. Tu dois le toucher d'abord avec ta main
gauche puis le passer ensuite dans ta main droite. Quand ce sarment
a poussé d'une longueur de trois doigts, emporte-le chez toi. Dès que
tu es arrivé, sors le poisson de l'huile où il baigne et attache-le au
sarment en l'y suspendant par la queue au moyen d'une fine cordelette
de lin. Au-dessous de lui, place le vase plein d'huile dans lequel tout
ce qui est contenu à l'intérieur du poisson s'écoulera goutte à goutte.
Tu veilleras à ce que cet écoulement soit bien complet. Le récipient
devra être placé sur une brique neuve; il y restera pendant trois jours.
A l'expiration de ce délai, tu enlèveras le poisson que tu embaumeras
avec de la bière et de la soude; ensuite, tu l'envelopperas avec des
bandelettes en toile de lin très fine et tu le dissimuleras dans un
endroit secret ou dans ta chambre. Conserve l'huile magique ainsi
obtenue et quand tu voudras qu'elle fasse effet sur toi, il te suffira
d'en enduire ton visage avant de t'étendre sur le lit auprès de la femme
pour laquelle tu auras accompli ce rite magique. Voici la formule que
tu devras réciter au-dessus de l'huile: «Je suis Chou et Klabano; je
suis Râ; je suis Komrâ; je suis le fils de Râ; je suis Sisht, fils de
Chou: une tige dans l'eau de On, le griffon qui se trouve à Abydos.
Tu es Tepe-Were, la grande magicienne, l'uraeus vivant; tu es la
barque solaire, le lac de Oua-Peke. Remplis-moi de passion, de désir
et d'ardeur lorsque je suis en présence d'un sein, lorsque j'approche
une femme. Mon véritable nom est Amour.»

Recettes magiques en tous genres

Le *Papyrus magique rédigé en langue démotique* (c'est-à-dire en
langue populaire) nous livre aussi plusieurs recettes.

L'une d'elles, dit ce texte, consiste en une potion souvent utilisée
par les entremetteurs et douée d'une prodigieuse efficacité en amour:
«Prends quelques cheveux sur la tête d'un homme décédé de mort

violente; mélange-les à sept grains d'orge qui auront été enterrés dans une tombe auprès d'un cadavre. Ajoute dix pépins de pomme (à défaut, neuf seulement). Ajoute encore le sang du ver d'un chien noir, une petite quantité de ton propre sang que tu feras couler du second doigt de ta main gauche, c'est-à-dire l'annulaire. Mélange le tout avec soin et verse-le dans une coupe de vin avec trois uteks du meilleur raisin de la vendange que tu prendras avant de l'avoir goûté et avant que les vendangeurs l'aient foulé sous leurs pieds pour en extraire le jus. Prononce la formule de l'enchantement sept fois de suite au-dessus de la coupe contenant ce breuvage. Ensuite, tu dois faire en sorte que la femme que tu désires boive cette potion. Puis, tu envelopperas la peau du ver du chien dont il est parlé ci-dessus dans une bande de toile très fine que tu attacheras soigneusement à ton bras gauche.»

On trouve également dans ce papyrus la description d'une opération de magie noire destinée à «rendre fou n'importe quel homme et n'importe quelle femme». Il suffit, indique cet étrange document, de de prendre «des cheveux de la personne contre laquelle tu veux agir. Réunis-les à ceux d'un mort; mélange-les bien ensemble et entoure la mèche ainsi constituée avec un lien solide. Attache alors cette mèche au corps d'un faucon que tu laisses s'envoler librement. Quand tu auras décidé de pratiquer cet enchantement, il te faudra attraper le faucon plusieurs jours à l'avance, le garder dans ta maison et le nourrir».

Le même papyrus contient une formule utilisée en magie noire pour rendre impuissant l'époux d'une femme. Le sortilège en question est désigné sous le terme de *ligature*: «Prends deux poissons avant qu'ils soient saignés; triture-les dans l'eau où tu auras préalablement lâché une chaîne en fer. A l'insu de l'homme, asperge-le avec le liquide ainsi obtenu; dès lors, il ne lui sera jamais plus possible de se libérer de la ligature. Cela doit être fait pendant le cinquième jour de la lunaison». Et le magicien qui a rédigé cette recette conclut avec assurance: «C'est infaillible».

Papyrus égyptien montrant une cérémonie funéraire et (en bas) la préparation d'un embaumement. Visage barbouillé de boue, hommes et femmes parcourent la ville en cortège. Les embaumeurs, eux, formaient un groupe social à part, vivant dans un quartier réservé. British Museum. *Roger-Viollet.*

Chapitre III

DE VIGILANTS GARDIENS DE L'AU-DELÀ

P ARMI les nombreuses fonctions assumées par les prêtres-magiciens de cette antique Egypte où la vie dans l'au-delà est essentielle, figure naturellement la préservation de la propriété funéraire. Et là encore, nous retrouvons la toute-puissance que les anciens Egyptiens accordent au verbe magique.

Un crime que les dieux ne pardonneront jamais

Dès l'Ancien Empire, on rencontre des menaces à l'égard des pilleurs de tombeaux ou même simplement des visiteurs mal intentionnés des tombeaux. Tout d'abord, le formulaire énonce le délit: «Toutes personnes qui feraient quelque chose de mal contre ce tombeau», ou bien «toutes personnes qui feraient quelque chose de mal contre ceci, et qui feraient quoi que ce soit d'inconvenant contre ceci ou qui efface raient les inscriptions ici».

D'autres formulaires mettent en garde les habitants contre la tentation de s'approprier le tombeau d'autrui; cet acte est considéré comme «un crime que les dieux ne pardonneront jamais à celui qui le commettra». Une stèle trouvée sur le site de Saïs, très ancienne ville du delta, près de l'actuelle Damanhour, menace de maux innombrables «tout noble, tout grand, tout homme qui détruirait une pierre ou une brique de ce tombeau», afin de s'en servir comme matériau de construction à bon marché.

Contre ces voleurs ou profanateurs, le châtiment varie. D'habitude, il s'agit pour le coupable de comparaître devant le «dieu grand» (sans doute Osiris), dans l'autre monde. Mais, parfois, le défunt préfère se venger lui-même en s'emparant des malfaiteurs «comme un oiseau». C'est ce qu'atteste un document funéraire de la XXIIe dynastie: «Je m'emparerai de lui comme un oiseau; je ferai que tous les humains qui sont sur la terre craignent les esprits qui sont dans l'Amenti, lorsque les aura terrifiés le féal gardien de Nekhen véritable.»

Il n'est d'ailleurs pas impossible que le défunt ait surtout vu un symbole dans cet oiseau de proie de Nekhen qui doit s'abattre sur les impies.

Dans le conseil du grand dieu

Une autre stèle, légèrement plus tardive, puisqu'elle date de la XXVe dynastie, trouvée près de Thèbes, formule, avec plus de précision, les terribles dangers qui menacent les profanateurs de tombes. «Tout ce que vous pourrez entreprendre contre cette mienne tombe de la nécropole sera pareillement entrepris contre votre propriété car moi je suis officiant excellent, instruit, et jamais aucune excellente recette magique n'est demeurée secrète pour moi. Toutes personnes qui entreraient dans cette tombe alors qu'elles sont impures, après avoir mangé l'abomination que tient pour abominable un esprit excellent, sans s'être purifiées pour moi comme elles doivent se purifier pour un esprit excellent qui faisait tout ce qui plaît à son maître, je les saisirai par le cou, tel un oiseau; je mettrai ma crainte en elles si bien que les esprits et les habitants de la terre verront ce spectacle et seront effrayés à cause d'un esprit excellent; je serai jugé avec lui dans cet auguste conseil du grand dieu. Mais l'homme qui entrerait dans cette tombe purifié, de manière à me satisfaire, je serai son soutien dans la nécropole, dans le conseil du grand dieu.»

«On m'appelle le destructeur»

Dans certains cas, les formules destinées à protéger les tombes ne contiennent pas de menaces ou de malédictions, mais constituent une sorte de panégyrique flamboyant, rédigé à l'intention du défunt par quelque magicien. Identifié, selon les principes de la magie égyptienne, à Horus lui-même, paré de toutes les vertus, le défunt espère ainsi éloigner de sa tombe pilleurs et profanateurs.

«Je suis celui d'Abydos, dit une stèle trouvée dans cette ville, conçu et né dans le nom sacré d'Isis, celle qui apporte le feu sacré, celle qui est assise sur le trône de piété du grand dieu miséricordieux. Je suis l'image du soleil et mon nom est Sitamestre. Je suis le général qui commande l'armée, celui qui est rempli de courage. Je suis l'épée qui frappe, celui qui détruit. Mon nom est Grande Flamme. Je suis l'image d'Horus, cette forteresse, cette épée, et l'on m'appelle le Destructeur. Je suis l'image du Noyé qui a témoigné avec son écriture, celui qui repose ici, de l'autre côté, sous la grande Table des offrandes, à Abydos.»

Ces cas de panégyrique sont, en fait, très rares et la stèle trouvée à Abydos, l'actuelle Baliana, à 560 kilomètres au sud du Caire (Haute Egypte), constitue, selon l'égyptologue Maspéro, un exemple presque unique. Dans l'immense majorité des cas, les magiciens, chargés de rédiger les formules qui protègent les tombes, adoptent un style souvent menaçant pour décourager les pilleurs. «Que le crocodile l'assaille dans l'eau, que le serpent l'assaille sur terre, celui qui ferait quelque chose contre ma tombe», lit-on sur une inscription découverte dans le site de Saïs, en Basse Egypte.

Menaces contre le pilleur

Une stèle datant de la XVIIIe dynastie menace le pilleur de toutes sortes de tourments dans le présent et dans l'avenir. «Or donc tout ennemi qui ferait acte hostile à ce tombeau, ainsi qu'à ce qu'il contient, qui endommagerait ses inscriptions, qui détruirait la statue dans la montagne de Siout, sa vie sera perturbée de maladies cruelles; il souffrira de la faim, de la soif, de la morsure des animaux; on ne lui portera pas secours quand il sera en danger; sa fortune ne sera pas pour son héritier; son nom ne sera pas honoré parmi les hommes; son souvenir ne sera pas auprès de ceux qui seront sur terre; on ne lui fera pas de cérémonies; on ne lui fera pas la libation de l'eau; les offrandes ne viendront pas remplir sa tombe; il ne suivra pas Osiris dans son périple céleste et son temps sur terre ne s'accomplira pas.»

Une autre formule de malédiction datant également de la XVIIIe dynastie où, semble-t-il, ce type de formules connaissait une grande vogue, apparaît sur une stèle conservée au musée du Caire : «Ô grands, prophètes, prêtres, officiants et toutes personnes qui viendront après moi au cours des millions d'années, celui qui écarterait mon nom pour mettre son nom, le dieu lui-même lui revaudra cela, en détruisant sa statue sur la terre. Celui qui prononcera mon nom sur cette stèle, le dieu agira pour lui en conséquence.»

La magie du nom dans l'Egypte pharaonique

Pour comprendre le sens de cette malédiction, il nous faut souligner l'importance exceptionnelle que revêt la magie du nom dans les croyances profondes de l'Egypte pharaonique.

En lui-même, le nom est la matérialisation de l'individualité spécifique de l'homme qui le porte. Il contient le destin et la fortune de celui-ci. D'ailleurs, dans la mythologie égyptienne, «créer» et «nommer» sont synonymes. Rappelons-nous que, dans le mythe d'Horus, le dieu Atoum déclare : «Je créerai ton nom quand tu auras atteint l'horizon, lorsque tu te seras posé sur les murailles de Celui dont le nom est caché.»

Dans les formules funèbres, l'expression «connaître le nom des choses» signifie posséder la connaissance qui permet de vaincre n'importe quel obstacle tout au long du chemin à parcourir dans l'au-delà. Ainsi, les formules magiques contenues dans le *Livre des morts* révèlent au défunt les noms des puissances infernales. Il suffit alors que le défunt *nomme* ces dangereuses divinités pour les vaincre.

Voici, à titre d'exemple, le formulaire destiné à provoquer l'ouverture d'une porte :

> *«Je ne te laisserai pas passer,*
> *dit le verrou de la porte,*
> *si tu ne me dis pas mon nom».*
> *«Ton nom est: Aiguille de la balance*
> *de la salle de la Vérité et de la Justice».*
> *«Je ne te laisserai pas passer,*
> *dit le battant droit de la porte,*
> *si tu ne me dis pas mon nom».*
> *«Ton nom est: Défenseur de la Justice».*
> *«Je ne te laisserai pas passer,*
> *dit le battant gauche de la porte,*
> *si tu ne me dis pas mon nom».*
> *«Ton nom est: Défenseur de la justice du cœur».*
> *«Je ne te laisserai pas passer,*
> *dit le seuil de la porte,*
> *si tu ne me dis pas mon nom».*
> *«Ton nom est: Pilastre de la terre».*
> *«Je ne t'ouvrirai pas, dit la serrure,*
> *si tu ne me dis pas mon nom».*
> *«Ton nom est: Corps enfanté par la mère».*
> *«Je ne te laisserai pas introduire la clé,*
> *dit le trou de la serrure,*
> *si tu ne me dis pas mon nom».*
> *«Ton nom est: Œil du Crocodile, de Sebek,*
> *seigneur de Bakau».*

La malédiction d'Aménophis III

Avoir son nom effacé ou «écarté» constitue donc la plus lourde menace qui pèse sur un Egyptien, aussi bien dans sa vie terrestre que dans l'au-delà.

C'est précisément cette menace qui sert, en quelque sorte, de prologue aux terribles malédictions proférées par le pharaon Aménophis III contre ceux qui profaneraient sa chapelle funéraire. «Le dieu réduira leurs noms en cendres et les fera disparaître à jamais de la terre et du ciel... Il jettera les coupables dans le brasier du roi en son

jour de colère. Son uraeus frontal vomira la flamme sur leurs têtes,
dévorera leurs chairs et engloutira leurs corps… Ils périront en mer
et leurs corps y resteront engloutis. Ils ne rendront pas les honneurs
rendus aux «justifiés» (…) On ne leur versera pas en libation l'eau
du fleuve. Leurs fils n'occuperont pas leurs places. Leurs femmes
seront souillées sous leurs yeux. Les grands n'entreront pas dans leurs
maisons tant qu'ils seront sur terre… Ils n'entendront pas la parole
du roi à l'heure où il est en joie. Ils tomberont sous le couteau à
l'heure de la destruction; on les traitera de «rebelles». Leurs chairs
dépériront, car ils auront faim et n'auront pas de paix; et leurs chairs
mourront.»

La carotte et le bâton

Certains documents nous montrent que les magiciens, tout en se
préoccupant d'éloigner les gens d'une tombe, essaient, dans la rédaction de leurs formulaires magiques, d'obtenir des étrangers passant
près de la tombe quelques services utiles au mort.

Ainsi, sur le tombeau de Téfabi à Siout, en Haute Egypte, nous
trouvons une longue formule où le passant est invité à lire, à haute
et intelligible voix, le nom du défunt, à se recueillir, ne serait-ce qu'un
instant près de la tombe, à élever une prière en l'honneur d'Osiris,
d'Isis et de Seth. Si le passant accomplit ces gestes, «son dieu le
couvrira de bienfaits; son nom sera glorifié; sa femme honorée parmi
les femmes; ses enfants grandiront à l'abri des maladies; sa sépulture
sera préservée de la profanation et du vol».

A la fin de la période pharaonique, nous assistons à une sorte
d'uniformisation où se retrouvent, intimement mêlées, la prière et la
menace. Le magicien-rédacteur éprouve d'un côté le besoin de
demander quelques services au passant; mais il envisage le cas où
ce dernier s'abstiendrait de les rendre. Alors, apparaît de nouveau
la menace. «Ô vivants, lit-on sur une stèle du musée de Berlin, ceux
qui passeront devant la montagne, qui parcoureront ce mien tombeau,
qui verront ce qu'il contient et qui réciteront mon nom, Osiris les
récompensera amplement. Il ouvrira devant eux et devant leurs enfants
les portes du ciel et guidera leurs pas. Il les protégera contre les maux

de la terre... Ceux qui ne protégeront pas ces inscriptions, qui ne respecteront pas mon nom, qui ne purifieront pas ces statues, les divinités de l'enfer les châtieront cruellement; leurs yeux se fermeront, leurs vies se termineront avant terme, et le dieu ne recevra pas leurs pains blancs»...

Le texte de la stèle se termine par ce pressant conseil: «Ne vous montrez pas négligents envers ceux qui sont dans leurs tombes. On est repoussé du ciel pour cela.»

TROISIÈME PARTIE

LES MOMIES ÉGYPTIENNES :
UNE ÉNIGME HALLUCINANTE

*« Je pense que les anciens Egyptiens connaissaient
déjà les lois de la radioactivité.
Leurs sages et leurs prêtres devaient connaître l'uranium.
On peut parfaitement imaginer
qu'ils utilisaient ces connaissances pour protéger
leurs momies et leurs sanctuaires. »*

Luis Bulgarini,
professeur de physique nucléaire

« Souvent, le défunt ayant souhaité être enterré à Abydas, la ville sainte d'Osiris, la momie est transportée dans cette ville selon un cérémonial précis. La procession funèbre débute chaque fois sur la rive orientale du Nil. » Thèbes, Vallée des Nobles. *Éditions Arthaud.*

UN PEUPLE FASCINÉ PAR LA MORT

TOUS les monuments légués par l'Egypte pharaonique (pyramides, mastabas ou tombeaux), et l'immense majorité des documents archéologiques retrouvés dans la vallée du Nil ne parlent à peu près qu'un seul langage : celui de la mort et de l'immortalité. Il est certain que, plus que les autres peuples de l'Antiquité, le peuple égyptien «avait la passion de la mort», selon l'expression de l'égyptologue allemand Lepsius.

L'archéologue et l'historien retrouvent, partout, les signes de cette passion, de cette fascination, mais aussi du souci constant de vaincre la mort. Cette double préoccupation a dominé la civilisation égyptienne, depuis l'Ancien Empire jusqu'à la disparition de la monarchie pharaonique.

Préparer sa mort...

L'enseignement pour Merikarê, sorte de guide pour l'éternité dont on a retrouvé de nombreux exemplaires dans les nécropoles égyptiennes, explique avec réalisme comment tout Egyptien doit accueillir la mort et comment il doit surtout se préoccuper de ménager son au-delà.

Préparer sa mort: tel semble être ainsi le souci majeur de chacun, dans la Vallée des Rois.

> *« Efforce-toi de ne pas mourir*
> *sans connaître le lieu où tu reposeras.*
> *Fais en sorte que la demeure de ton repos soit*
> *construite à l'endroit où tu désires*
> *que ton corps soit enterré*
> *et dans laquelle ta momie pourra être placée.*
> *Il faut que cette nécessité soit toujours présente*
> *parmi les choses qui ont de l'importance à tes yeux.*
> *Nul ne peut blâmer celui qui agit ainsi:*
> *au contraire, il est heureux.*
> *Prépare-toi sans tarder afin d'être prêt*
> *lorsque le messager viendra te*
> *trouver, car aucun délai ne te sera accordé.*
> *Dis-lui alors: «Voici celui qui*
> *s'était préparé pour ta venue».*
> *Ne lui dis pas: «Je suis trop jeune pour*
> *que tu m'emportes avec toi».*
> *Tu ne peux savoir quand sera le moment de ta mort:*
> *elle vient et s'empare de l'enfant*
> *qui repose dans les bras de sa mère,*
> *de la même façon qu'elle prend*
> *celui qui est devenu vieux».*

Le Ka, responsable de la vie après la mort

Si la croyance des Egyptiens en l'immortalité ne fait pour nous aucun doute, nous avons, encore aujourd'hui, des difficultés à savoir comment ce peuple envisageait la survie dans l'au-delà.

Certains égyptologues affirment que, pour les Egyptiens, le défunt continuait à vivre dans son tombeau, puisque des victuailles étaient offertes au mort et apportées régulièrement dans les tombes. D'autres soutiennent que ces victuailles étaient purement symboliques. Les Egyptiens, expliquent-ils, voyaient leurs morts poursuivre leur «vie» parmi les oiseaux des arbres, parmi les coléoptères rampant dans le sable du désert ou parmi les fleurs de lotus poussant au bord du Nil, et même parmi les étoiles du firmament.

Pour bien comprendre l'origine et la nature des préoccupations des Egyptiens quant à la vie dans l'au-delà, il est utile de rappeler un certain nombre de notions sur leur manière de concevoir la vie posthume de l'être humain.

Le mort possède un corps, une âme (le Bâ) et un esprit, le Ka. Ce dernier est une sorte d'esprit protecteur, apportant à l'homme le bonheur, la santé et la joie. Chacun – dieu, pharaon ou homme du commun – possède son propre Ka. Sur d'innombrables peintures funéraires, on voit apparaître des personnages dédoublés, ayant le même aspect et la même attitude. Le second personnage, placé exactement derrière le premier, est son Ka.

Le Ka est responsable de la vie après la mort. Et c'est à son intention que le corps est embaumé, afin qu'il puisse le réutiliser à tout moment. Dans les sépultures des pharaons, on fait aussi figurer des statues, grandeur nature, du défunt, afin que le Ka ait à chaque instant devant les yeux le souvenir des caractéristiques physiques et psychiques du personnage. Quant aux aliments et boissons conservés auprès de la dépouille, ils sont en fait destinés au Ka.

La force magique du Bâ

Le Bâ, avons-nous dit, est l'âme du défunt. Souvent représenté dans les peintures funéraires sous les traits d'une cigogne noire (jabirou) ou d'un oiseau imaginaire à tête humaine, le Bâ quitte le corps au moment de la mort.

De nombreux textes égyptiens évoquent le Bâ. L'un d'entre eux, particulièrement révélateur du caractère divin du Bâ, est conservé actuellement au musée de Berlin. Il s'agit du papyrus n° 3204 qui fut longuement étudié par l'égyptologue allemand Winfried Barta. Dans son ouvrage *Structure et signification de la formule des sacrifices dans l'ancienne Egypte,* publié à Glückstadt, en 1968, le professeur Barta précise la place du Bâ dans le système métaphysique égyptien. Il insiste sur le caractère magique du Bâ: «La forme que prend le

Bâ lorsqu'il est libéré – à part les ailes d'oiseau dont il est pourvu, conformément à sa représentation dans l'écriture hiéroglyphique – doit ressembler, dans toute la mesure du possible, à l'aspect du défunt. Mais le Bâ ne doit pas être seulement la copie physique du personnage auquel il est associé : il doit également en posséder les caractéristiques psychiques et mentales, l'expérience et le savoir. Par ailleurs, étant d'essence divine, le Bâ possède un pouvoir magique qui lui permet de prendre n'importe quelle forme. Cette force magique dont il est doué fait aussi qu'aucune magie ne peut opérer contre lui. Le corps privé du Bâ est, par contre, appelé « ombre ». C'est là que s'exprime une différence essentielle entre le corps et le Bâ ; le corps seul a besoin, après la mort, d'être « transfiguré », c'est-à-dire d'être mis en condition, par la récitation de « formules de transfiguration », en vue de son existence dans l'au-delà. Le Bâ, lui, en tant que force vitale incarnée, n'est pas atteint par le trépas de l'être humain, et n'a pas besoin de transfiguration ; tout au plus, son existence ultérieure exige-t-elle l'accomplissement du cérémonial rituel des sacrifices. Il est vrai que certains textes du Nouvel Empire parlent de « transfiguration du Bâ », mais cela doit signifier plutôt, à notre avis, l'union du Bâ avec la dépouille transfigurée…

La dépouille transfigurée : un Bâ vivant

Le fait que, dans le Bâ – qui se détache du corps après la mort et apparaît dès lors comme une « personnalité » agissant de façon indépendante – s'incarnent la puissance et la faculté de survie de l'être, est mis en évidence par toute une série de textes qui parlent d'un « Bâ vivant » (c'est-à-dire continuant à vivre après la mort) ou qui promettent au défunt qu'il se transformera en un tel « Bâ vivant ». L'expression « transfiguré vivant » que l'on trouve parfois dans les textes devrait désigner, de son côté, la dépouille transfigurée pourvue d'un « Bâ vivant ». Les forces qui rendent le Bâ capable d'entretenir la vie permanente reposent sur son pouvoir de reproduction indestructible, pouvoir qu'il conserve intact dans l'au-delà, tel que le défunt le possédait dans sa vie terrestre. »

La mort : une compagne longtemps espérée,
une hôtesse fraternelle

Dans ce système, la mort n'est donc pas le néant, ni la fin de la vie, mais une nouvelle «vie», une sorte de «résurrection de l'âme», selon une stèle découverte à Abydos, la capitale des mystères osiriens. De très nombreux documents nous montrent avec quelle joie la mort est accueillie par les anciens Egyptiens. Le *Papyrus Ebers* décrit la mort comme «la guérison d'un malade, la sortie au grand air après l'abattement». Un texte gravé sur les parois d'une tombe, à Edfou, compare la mort au parfum de l'oliban et au «repos à l'abri d'un voile un jour de grand vent». Dans d'autres documents, la mort apparaît comme la fin d'un orage ou le retour à la maison après un long et périlleux voyage.

Dans un très beau poème datant du Moyen Empire, un poète anonyme accueille la mort comme une compagne longtemps espérée et très aimée, une hôtesse fraternelle :

> «*La mort est aujourd'hui devant moi*
> *Comme quand le ciel se découvre,*
> *Comme on s'en irait d'ici chasser vers un pays qu'on ignore.*
>
> »*La mort est aujourd'hui devant moi*
> *Comme le désir qu'a un homme de revoir sa maison,*
> *Après avoir passé nombre d'années en captivité.*
>
> »*En vérité, celui qui est là-bas*
> *C'est un dieu vivant,*
> *Qui punit le péché en celui qui le commet.*
>
> »*En vérité, celui qui est là-bas*
> *Se tient dans la barque solaire*
> *Et préside à la répartition des offrandes aux temples.*
>
> »*En vérité celui qui est là-bas*
> *Est un savant que l'on ne peut repousser*
> *Et qui peut s'adresser à Râ quand il parle.*»

Chapitre II

MYSTÈRES DE LA MOMIFICATION ET LOURDES MENACES SUR L'HUMANITÉ

NOUS connaissons une foule de détails sur les techniques d'embaumement, les produits utilisés, le rituel funéraire. Mais il subsiste, çà et là, des mystères, des énigmes, des lacunes. Quant aux innombrables recherches menées sur la momification, elles ne semblent pas venir à bout des terribles difficultés que comporte l'étude des momies.

Un étrange rituel trouvé dans la tombe d'Aménophis III

La momification est-elle seulement destinée à préserver de la destruction et du néant l'intégrité matérielle et spirituelle des trois éléments constitutifs de la personnalité humaine, c'est-à-dire le corps, le Ka et le Bâ, comme nous l'enseigne la théologie égyptienne ?

Certains occultistes en doutent et n'hésitent pas à affirmer que certaines momies égyptiennes recèlent un terrible secret dont les origines se perdent dans la nuit des temps, un secret qui se situe dans une sorte de «zone sacrée», inaccessible aux méthodes d'investigation de la science moderne.

Pour étayer leurs thèses, ces occultistes citent un certain nombre de textes égyptiens et, en particulier, un très étrange rituel trouvé dans la tombe du pharaon Aménophis III.

Sur les parois de cette tombe, une grande fresque funéraire nous fait assister à la fameuse cérémonie de l'«ouverture de la bouche», déjà évoquée. Dans la tombe, à l'intérieur de la chapelle funéraire qui la domine, les prêtres du Ka se tiennent devant le sarcophage. Sur une table sont posés des instruments étranges: une herminette (c'est-à-dire une sorte de petite hache), un coutelas en forme de plume d'autruche, une jambe de bœuf imitée et une palette. Un repas est prévu, non pour les prêtres, mais pour le Ka: des pains et une cruche de bière. On brûle de l'encens et d'autres fumigations. Et les prêtres procèdent à la cérémonie de l'«ouverture de la bouche», en récitant un texte étonnant:

> «Il te sera donné tes deux yeux pour voir,
> tes deux oreilles pour entendre ce qui est dit,
> ta bouche pour les paroles.
> Tes deux pieds pour marcher, marcheront.
> Tu feras tourner tes deux bras
> et tes deux épaules.
> Ta chair sera ferme,
> tes muscles seront en repos.
> Puisses-tu te réjouir en chacun de tes membres!
> Puisses-tu compter tes membres
> au complet, en parfaite santé!»

A la fin de cette cérémonie, le Ka est censé répondre:
> «Je suis vivant!»

Une opération technique vraiment hallucinante

Quel est le sens précis de ce texte? A qui s'adresse ce rite? Est-ce une invocation purement symbolique ou bien s'agit-il d'une formule derrière laquelle se cache le «sens réel» de la momification? Telles sont quelques-unes des questions que se posent, depuis le début du siècle, les occultistes soucieux de découvrir le secret insondable des momies égyptiennes.

La réponse que fournit Jean-Louis Bernard, auteur de *L'Egypte sans bandelettes* (1947), est particulièrement originale. Selon cet occultiste, la momification ne concerne pas l'âme elle-même mais seulement la «personnalité terrestre ou para-terrestre». C'est une opération magique et non religieuse. En momifiant les corps, les Egyptiens ont pris des risques terribles... Ils ont entravé «l'évolution post-mortem» de milliers d'êtres qui demeurent rivés à une momie comme à un boulet. Et, s'il y a réincarnation, l'être neuf naîtra entravé, c'est-à-dire qu'il naîtra avec, par avance, une maladie caractérielle.

Une fois emprisonné dans la tombe, le Ka passe de «l'état dynamique à un état statique. Il rêve indéfiniment sa vie passée. Et les fumigations servent à nourrir sa faculté de rêver».

Après ces considérations préliminaires, Jean-Louis Bernard soutient que les «théories russes», sur lesquelles il ne fournit aucune indication, sont capables de nous aider à «dépouiller les rites de la momification de leur contexte apparent et démagogique et tenter de les rétablir dans leur sens primitif».

Ce sens primitif est proprement terrifiant, si l'on en croit l'auteur. La vraie Egypte, affirme-t-il, a observé le ciel durant quarante mille ans, à l'aide d'instruments optiques dont l'élément essentiel (la lentille) a été récemment retrouvé. De plus, la vraie Egypte a été détruite par épidémie ou cataclysme avant les premières dynasties. Et c'est avec les éléments subsistant, avec les restes donc de la vieille Egypte, que sera édifiée la civilisation pharaonique que nous connaissons.

Longtemps avant ces cataclysmes, les prêtres et les magiciens de l'Egypte, sentant venir la catastrophe, ont pris des mesures extra-ordinaires pour empêcher la disparition pure et simple de leurs traditions millénaires. «Il se peut donc, conclut Jean-Louis Bernard, que les mages égyptiens tentèrent une opération technique vraiment hallucinante afin de parer aux dangers de l'âge noir. Cette opération sous-entendait de gros risques, qu'ils acceptèrent. Ils décidèrent de conserver la tradition *sous une forme énergétique* en momifiant certains initiés et en leur donnant la possibilité de retrouver leurs connaissances dans une autre incarnation. Les livres se perdent ou se falsifient... Et ils ne sont rien sans l'homme qui en détient l'esprit. En figeant le Ka, ou double d'un initié supérieur, ils maintenaient en état de cohérence non seulement sa mémoire, mais aussi sa langue, sa culture personnelle et l'âme de son époque.»

Dans cette perspective, la résurrection du Ka n'est plus seulement une cérémonie symbolique mais une réalité. Après un temps plus ou moins long, l'initié momifié, ou du moins son Ka, peut revenir à la vie.

Radiesthésie et malédiction des pharaons

Selon un autre occultiste, l'Egyptien Khalid Messiah, toutes les momies ne sont pas des cadavres définitivement privés de vie ; elles demeurent habitées, en quelque sorte par des *entités* (ombre, ou double, ou les deux) et exhalent une *énergie négative*. Messiah, qui est également radiesthésiste, a procédé à plusieurs expériences. Il a constaté que chaque fois qu'il manœuvrait son pendule au-dessus d'une momie, il ressentait une grande lassitude. Certaines momies du musée du Caire lui causèrent même un grave malaise et il demeura, pendant plusieurs jours, dans un état proche du coma.

Messiah cite le cas de son compatriote, l'égyptologue Sami Gabra, qui fut atteint d'un mal mystérieux après l'ouverture d'une tombe attribuée à un grand prêtre de Thot : toux persistante, éternuements, parfois laryngite et pharyngite avec accès de fièvre. L'origine de tous ces malaises, suggère notre radiesthésiste, est due «à la combustion des résidus psychiques captés dans la tombe, des énergies stagnantes qui répètent automatiquement les rythmes de la vie qu'elles ont enregistrés».

Messiah est convaincu que c'est dans cette direction qu'il faut chercher, si l'on veut élucider la terrible énigme que constitue la malédiction des pharaons.

Tous ceux qui ont transporté des momies ont eu de graves ennuis

Allant plus loin dans ce sens, d'autres occultistes soutiennent que de nombreuses momies sont chargées de radioactivité et que tous les malaises constatés chez les égyptologues proviennent précisément d'un rayonnement radioactif. Et ils citent, à cet égard, deux «preuves concluantes», en l'occurrence deux naufrages survenus dans des conditions tout à fait étranges.

Le premier se situe au début du XIXe siècle. En 1821, le général prussien von Minutoli se rend en Egypte, en compagnie de l'ingénieur italien Segato. Pendant plus d'un an, il explore la pyramide à degrés de Sakkara, construite, on le sait, par Imhotep, sur l'ordre du pharaon Djoser. Il réussit d'abord à pénétrer dans les différentes galeries intérieures de la pyramide : c'est là qu'il ramasse un très grand nombre d'objets funéraires : amulettes, symboles magiques, quelques meubles, des papyrus. Le 7 octobre 1822, il découvre dans le grand puits de la pyramide un sarcophage brisé où gisait une momie non identifiée.

A la fin de l'année 1822, von Minutoli charge les innombrables objets trouvés à Sakkara dans un bateau affrété par le roi de Prusse. C'est alors qu'un conflit éclate entre l'archéologue prussien et les autorités égyptiennes. L'un des responsables égyptiens du service des Antiquités, Ali Nabran, le dissuade d'emporter avec lui la momie.

— Vous courez un grave danger, lui dit-il. Plusieurs accidents sont déjà arrivés : tous ceux qui ont transporté des momies ont eu de graves ennuis.

Minutoli est un esprit scientifique, un homme raisonnable ; il est le dernier à accorder un quelconque crédit à ces légendes absurdes. La momie est donc chargée sur le bateau qui lève l'ancre le 3 janvier 1823.

Le 10 janvier 1823, Minutoli, qui est resté au Caire, pour poursuivre ses recherches, apprend que le bateau a disparu, corps et biens, au large de Malte.

Le mystérieux naufrage du «Titanic»

Le second accident survient un siècle plus tard. Le 14 avril 1912, le *Titanic*, fleuron de la *White Star Line* qui accomplissait son premier voyage transatlantique Londres–New York, heurte un iceberg, au sud de Terre-Neuve et coule avec la majeure partie de son équipage et de ses passagers.

Ce naufrage, qui reste la plus spectaculaire catastrophe maritime du siècle, provoque la mort de 1675 personnes. Que s'est-il passé ?

Comment ce géant transatlantique, qui était considéré comme le plus beau, le plus grand et le plus moderne de tous les bateaux a-t-il pu couler? Les enquêtes menées depuis n'ont pas tout à fait élucidé les causes mystérieuses de ce désastre maritime.

Ainsi les enquêteurs n'ont jamais réussi à expliquer l'étrange comportement du capitaine Smith, le commandant du bateau. Smith était un remarquable marin qui avait à son actif une longue expérience des voyages transatlantiques; la route maritime Londres–New York n'avait aucun secret pour lui. Pourtant, il eut, le jour du naufrage, des réactions bizarres qui se manifestèrent par la route insolite choisie pour le bateau, l'excès de vitesse et le refus obstiné de solliciter le secours d'autres bateaux naviguant dans les parages. Fait encore plus troublant: les enquêteurs recueillirent auprès des survivants plusieurs témoignages établissant d'une façon absolument formelle que le capitaine ne communiqua le plan de sauvetage aux passagers qu'au tout dernier moment.

Selon toute apparence, le capitaine Smith était devenu fou!

Désespérant de trouver une explication logique à cette folie soudaine, plusieurs journalistes chargés de suivre l'évolution de l'enquête avancèrent une hypothèse stupéfiante.

Le «Titanic» transportait une momie égyptienne

Lors du naufrage, le *Titanic* transportait 2200 passagers, 40 tonnes de pommes de terre, 1200 bouteilles d'eau minérale, 7000 sacs de café, 3500 œufs et… une momie égyptienne.

Cette momie appartenait à un collectionneur anglais, lord Canterville, qui la faisait transporter de Londres à New York où l'on organisait une exposition d'antiquités égyptiennes. Il s'agissait de la momie d'une voyante qui avait vécu à l'époque d'Aménophis IV; la tombe avait été découverte à Tell el-Amarna.

Cette momie, comme la plupart des momies égyptiennes, était munie de nombreuses amulettes. Sous sa tête notamment, on avait glissé une amulette portant reproduction du dieu Osiris ainsi que l'inscription: «Réveille-toi du sommeil dans lequel tu es plongée; le regard de tes yeux triomphera de tout ce que l'on entreprend contre toi».

Par ailleurs, la dépouille antique, sans doute à cause de sa valeur exceptionnelle, n'avait pas été placée dans les soutes à bagages. Soigneusement enfermée dans un solide coffre de bois, la momie était installée derrière la passerelle de commandement.

«Ce fut cette momie, écrit John Newbargton, dans *Magic Egypt* (Londres, 1961) qui provoqua la folie du capitaine Smith. Munie sans doute d'un système de protection à base de rayonnement radioactif, elle dérégla également tous les instruments du *Titanic*.»

Le plancher des tombeaux égyptiens recouvert d'uranium?

John Newbargton déclare plus loin que les Egyptiens maîtrisaient déjà, aux premiers temps de l'Ancien Empire, les techniques d'extraction et d'utilisation de l'uranium. C'est là, selon lui, que réside la fameuse malédiction des pharaons.

Cette opinion, apparemment extravagante, est cependant confirmée par l'atomiste espagnol Luis Bulgarini. «Je pense, a-t-il déclaré en 1949, que les Anciens Egyptiens connaissaient déjà les lois de la radioactivité. Leurs sages et leurs prêtres devaient connaître l'uranium. On peut parfaitement imaginer qu'ils utilisaient ces connaissances pour protéger leurs sanctuaires.»

Pour bien montrer le lien possible entre cet uranium et la malédiction des pharaons, Bulgarini ajoute: «On a pu recouvrir le plancher des tombeaux avec de l'uranium ou encore on a pu les garnir de pierres provenant de roches uranifères. Le rayonnement radioactif émanant de cet uranium serait encore susceptible, à l'heure actuelle, de tuer un homme ou pour le moins de lui infliger de graves lésions physiologiques.»

La vallée des mines d'or

Les défenseurs de ces thèses extrêmement hardies avancent que plusieurs documents datant de l'époque pharaonique prouvent que les anciens Egyptiens ont fouillé le sous-sol de leur pays et ont extrait de très grandes quantités d'or. Etant donné que l'or et l'uranium se trouvent dans les mêmes roches, il est à peu près certain qu'ils ont aussi rencontré l'uranium et qu'ils l'ont extrait.

En effet certains papyrus mentionnent des mines exploitées depuis très longtemps. L'une de ces mines est située près de la petite bourgade d'Oumgaryat, qui s'appelait, durant l'ère pharaonique, Akita. Cette mine est d'ailleurs loin d'être abandonnée : elle existe toujours et les spécialistes estiment que cent mille tonnes de roche métallifère avaient dû être extraites de ces galeries souterraines au cours de l'Antiquité.

Un autre papyrus, actuellement conservé au musée de Turin, signale également l'existence des mines d'Akita et évoque les «montagnes dont l'or est extrait». Selon ce document, c'est dans ces «montagnes rouges» que le pharaon Séthi 1er aurait fait extraire de l'or vers l'an 1400 avant J.-C.

D'autre part, une inscription hiéroglyphique, trouvée près du village de Kouban, raconte en détail une tentative effectuée sans succès à l'époque de Ramsès II en vue de creuser un puits. Cette inscription mentionne que cette tentative s'est déroulée dans une région appelée «la vallée des mines d'or».

De l'or en abondance, dans l'Egypte du IIe millénaire

Naturellement, aucun papyrus, aucun document archéologique, aucune inscription ne mentionne nommément l'uranium et ne parle en termes explicites des lois de la radioactivité. Mais on peut imaginer, sans difficulté, que les anciens Egyptiens les désignaient par d'autres noms. Quoi qu'il en soit, l'existence de gisements aurifères dans l'Egypte pharaonique et leur abondance doivent nous inciter à ne pas accueillir ces thèses avec dédain.

Certaines fouilles récentes, celles en particulier de l'archéologue Quibell, ont permis la découverte de plusieurs barres d'or dans des tombes préhistoriques situées près de l'actuel village d'El-Kab. Cette très importante découverte établit, d'une façon irréfutable, que les plus anciens Egyptiens exploitaient des mines d'or, avant même l'époque de la construction des grandes pyramides.

Par ailleurs, on a trouvé à Tell el-Amarna, des tablettes d'or. Après un examen attentif, un égyptologue américain les a identifiées comme étant des lettres adressées par un roi babylonien à Aménophis III pour lui réclamer une certaine quantité d'or destinée à l'érection d'un temple, «comme cela avait été fait déjà dans le passé pour son père et pour le roi de Cappadoce». Cette requête prouve que les pharaons disposaient, à n'en pas douter, de grandes quantités d'or, dès le début du IIᵉ millénaire avant J.-C.

Et comme l'or et l'uranium, on l'a dit, se rencontrent souvent dans les mêmes roches, rien vraiment ne permet, *a priori*, de rejeter l'hypothèse selon laquelle les anciens Egyptiens connaissaient l'uranium et les lois de la radioactivité. Des lois secrètes, réservées à l'usage exclusif des prêtres et des magiciens qui, pour protéger certaines momies, avaient pu déposer auprès d'elles des amulettes radioactives capables de tuer les profanateurs!

CHAPITRE III

LA MOMIFICATION, ULTIME SURVIVANCE DE L'ATLANTIDE?

UNE des plus audacieuses théories émises au sujet des techniques d'embaumement pratiquées par les anciens Egyptiens affirme que la momification a été importée en Egypte par les envahisseurs atlantes qui auraient occupé ce pays sept ou huit mille ans avant notre ère.

Les défenseurs de cette théorie – qu'ils soient russes comme le professeur Nicolas Giroff, ou américains comme Andrew Thomas, ou allemands comme l'archéologue Leo Frobenius, ou français comme Paul Lecour – soutiennent, tous, que les momies constituent l'ultime survivance d'une brillante civilisation disparue, celle de l'Atlantide. Cette théorie peut être résumée ainsi: les Egyptiens d'un côté de l'océan, les Mayas et les Incas de l'autre ont, de tous temps, momifié les corps de leurs défunts. Les grandes nécropoles, qui s'étendent sur les bords du Nil ou dans les plaines du Nouveau Monde, recèlent d'innombrables momies et confirment l'origine commune des Egyptiens et des Indiens d'Amérique, derniers survivants de la race atlante qui vivait jadis sur un continent immense, situé au milieu de l'océan Atlantique.

La thèse est certes audacieuse. Néanmoins, elle s'appuie sur un grand faisceau de preuves archéologiques, artistiques, religieuses et même, selon certains, initiatiques.

Des similitudes saisissantes

Parmi ces preuves, il y a d'abord la ressemblance, extrêmement frappante, des écritures, les hiéroglyphes de l'Amérique préhistorique et ceux de l'ancienne Egypte, que les archéologues ont, depuis cinquante ans, comparés attentivement.

Un chercheur français, Auguste Le Plongeon, cite treize signes mayas qui sont identiques à ceux employés en Egypte. De plus, selon les données actuelles de l'égyptologie, ces signes mayas – qui ont été déchiffrés – ont rigoureusement le même sens que les signes égyptiens. Un autre chercheur, le Dr Bertoni, constate que les Guaranis, qui vivent au Paraguay, ont le même système d'écriture que les Egyptiens.

Dans son *Enigme de l'Atlantide* (Payot 1952), le colonel A. Braghine, un des meilleurs spécialistes français de la question, révèle les innombrables similitudes qui existent entre les hiéroglyphes égyptiens et ceux que l'on rencontre, encore aujourd'hui, dans les grandes forêts vierges de l'Amazonie, en Amérique centrale, au Brésil, particulièrement dans l'Etat de Matto Grosso.

Pour le colonel Braghine, aucun doute ne subsiste : les ancêtres des Egyptiens ne sont autres que les Indiens d'Amérique, colonisés et fortement imprégnés par la culture atlante, qui ont émigré, après le cataclysme, vers l'Afrique.

«Comment expliquer autrement, écrit-il, les similitudes parfois saisissantes que l'on constate entre les conceptions religieuses des Egyptiens, et celles des Toltèques, des Incas, des Mayas?

»Toutes ces données rendent infiniment vraisemblable l'hypothèse de l'origine américano-atlantéenne de la civilisation égyptienne.»

Depuis vingt-cinq ans, les hypothèses de Braghine ont été brillamment confirmées par les travaux archéologiques. Sur les bords du Nil comme dans les plaines tourmentées du Yucatan, berceau de l'ancien empire maya, des archéologues, appartenant à toutes les nations et à toutes les écoles de pensée, exhument les mêmes signes mystérieux : des arabesques, des dessins compliqués, des cadres rectangulaires; ils retrouvent les mêmes motifs dans les peintures murales, les mêmes ornements. Le même animal sacré, le scarabée, se rencontre aussi souvent au fronton d'un temple maya que sur des fresques égyptiennes.

« Ces ressemblances troublantes ne peuvent nullement être l'effet du hasard » constate, à son tour, l'ethnologue américain James Churchward, dans son ouvrage *Le monde occulte de Mu* (Editions J'ai Lu, 1972).

Le puits sans fond de la sagesse cachée dans l'essence de chaque homme

Il est impossible, dans le cadre de cet ouvrage, de citer les innombrables et très intéressantes preuves fournies par Churchward pour étayer sa thèse...

Tout au long de deux cents pages, cet auteur montre comment les mêmes rites et les mêmes techniques de momification se retrouvent dans les civilisations américaines pré-colombiennes et dans la civilisation égyptienne.

Citons néanmoins une des preuves qu'avance Churchward après trente ans de recherches menées tour à tour en Egypte et en Amérique latine: le papyrus d'Anana, chef des scribes du pharaon Séthi II (XIVe siècle avant J.-C.), qui révèle les secrets de la métaphysique égyptienne.

Que dit ce papyrus?

« Voyez, n'est-ce pas écrit sur ce rouleau? Lisez, vous le découvrirez dans les temps futurs, si vos dieux vous ont donné le pouvoir de lire. Lisez, ô enfants de l'avenir, et apprenez les secrets du passé qui pour vous est lointain mais en vérité si proche.

» Les hommes ne vivent pas seulement une fois pour disparaître ensuite à jamais; ils vivent plusieurs vies dans des lieux différents, mais pas toujours dans ce monde. Et, entre chaque vie, il y a un voile de ténèbres.

» Les portes s'ouvriront enfin, et nous verrons toutes les salles que nos pieds ont foulées depuis le commencement des temps.

» Notre religion nous enseigne que nous vivrons éternellement. Or, l'éternité n'ayant pas de fin ne peut avoir de commencement, c'est un cercle; par conséquent si l'un est vrai, à savoir que nous vivons éternellement, l'autre doit être vrai aussi, à savoir que nous avons toujours vécu.

»Aux yeux des hommes, Dieu a de nombreux visages et chacun jure que celui qu'il voit est celui du vrai et unique Dieu. Et pourtant ils se trompent tous car tous les visages sont celui de Dieu.

»Notre Ka, qui est notre moi spirituel, nous les montre de différentes façons. En puisant dans le puits sans fond de la sagesse qui est cachée dans l'essence de chaque homme, nous apercevons des bribes de vérité qui nous donnent, à nous qui sommes instruits, le pouvoir d'accomplir des merveilles.»

Le mythe d'Osiris se retrouve en Amérique du Sud

Or les Indiens d'Amérique ont les mêmes croyances religieuses fondamentales. Ils ont également certains rites et certaines cérémonies en commun.

Le sacre du roi des Chibchas en Colombie ressemble aux cérémonies du couronnement des pharaons. Chez certaines tribus américaines de l'époque préhistorique, on pratique la circoncision comme dans l'ancienne Egypte, suivant le même cérémonial et avec un couteau en silex. Il faut aussi signaler une ressemblance très accusée entre les vêtements et les attributs portés par les prêtres de certaines tribus de l'Amérique du Sud et ceux des prêtres égyptiens.

«Les anciens Egyptiens, note de son côté l'abbé Moreux, croyaient que le firmament était supporté, à quatre points de l'horizon, par les quatre divinités dites Canopiques, enfants d'Horus, et ils les représentaient sur les urnes contenant les entrailles des défunts. Les Mayas croyaient aussi que les esprits Can, Muluc, Ix et Cauac supportaient les quatre points cardinaux et ils attribuaient à chacun de ces *Bacabs* – c'est ainsi qu'ils les appelaient – une couleur différente : celui de l'est était rouge ; celui du nord, noir ; celui du sud, jaune et celui de l'ouest, blanc. Ils déposaient de même les entrailles des morts dans quatre urnes sur chacune desquelles était représenté un *Bacab*.»

Par ailleurs, dans le folklore des Ipurines, Indiens des Andes, proches parents des Antis et des Quichuas-Aymaras, on trouve un mythe qui évoque, sur de nombreux points, celui d'Osiris.

Les mêmes similitudes frappantes apparaissent dans les objets d'art mis au jour en Egypte et en Amérique latine.

Ainsi, deux statuettes découvertes à San Salvador, capitale du Salvador, par l'archéologue allemand Ernst Freiberg, paraissent être des copies rigoureusement exactes de momies égyptiennes. Toujours à San Salvador, d'autres statuettes, trouvées dans la pyramide de Sihuatan, ressemblent à s'y méprendre à celles que l'on voit en Egypte et qui représentent le dieu égyptien Anubis.

Une chaîne de pyramides ininterrompue depuis l'Arménie jusqu'à l'Amérique centrale

La construction de pyramides constitue également une des plus solides preuves avancées par tous ceux qui considèrent Egyptiens et Indiens d'Amérique comme les héritiers de la culture atlante, voire les derniers survivants de l'Atlantide après son anéantissement.

Car comment expliquer autrement les étonnantes ressemblances qui apparaissent entre les pyramides égyptiennes et celles du Nouveau Monde ?

« Cette ressemblance, lit-on dans la revue *Atlantis*, qui consacre depuis de nombreuses années de passionnantes études à la question de l'Atlantide, est particulièrement sensible en ce qui concerne les pyramides américaines et les portes monumentales du temple du soleil de Tiahuanaco, en Bolivie. L'Egypte, en effet, n'a pas été le seul pays à élever des pyramides. Des monuments semblables forment comme une chaîne qui part de l'Arménie (voir les découvertes faites à Ani par un archéologue russe, le professeur Marr) puis, par la Mésopotamie avec ses ziggurats, atteint l'Egypte et, après la coupure de l'Atlantique, se poursuit à travers le Yucatan, les hauts plateaux du Mexique, le Guatemala et San Salvador. »

Les pyramides américaines, construites par des géants d'origine inconnue

En outre, par une série d'articles publiés en 1935, dans la *Revue scientifique*, un savant français, le général Langlois, apporte des révélations intéressantes sur une mystérieuse race préhistorique qui a précédé, en Amérique, les Toltèques, les Mayas et les autres races de civilisation déjà relativement avancée. Ce peuple, qui possédait des connaissances étendues en mathématiques et en astronomie, a édifié de nombreuses pyramides qui sont, toutes, exactement orientées. Parfois, cette orientation a même permis de les dater; elles remonteraient en général à une période comprise entre 3000 avant J.-C. et le début de l'ère chrétienne.

Le général Langlois considère que certaines pyramides américaines sont beaucoup plus anciennes encore. La Grande Pyramide de Teotihuacan, par exemple, a certainement été bâtie plusieurs milliers d'années avant notre ère. Il est probable, selon lui, qu'on a, en Amérique comme en Egypte, bien souvent imité des monuments plus anciens et que les Toltèques et les Mayas ont dressé des pyramides semblables à celles qu'avaient dressées, avant eux, leurs prédécesseurs.

Le général Langlois rapporte d'étranges légendes indiennes qui racontent que les grandes pyramides du Nouveau Monde ont été construites par des géants d'origine inconnue qui ont péri dans de grandes catastrophes accompagnées d'inondations et de tremblements de terre. Dans leur langage pittoresque, les Indiens de l'Orénoque appellent cette époque: «le temps où les forêts étaient inondées» (Catanamanoa).

«La ressemblance entre les édifices préhistoriques de l'Amérique et les constructions égyptiennes, constate Langlois, est parfois surprenante. La célèbre pyramide à degrés de Sakkara, en Egypte, est une copie pure et simple des pyramides mexicaines.»

Huit millions d'ouvriers pour construire la pyramide de Chéops

Dans l'état actuel de nos connaissances archéologiques, nous ne disposons d'aucun renseignement sur la technique utilisée par les Indiens d'Amérique pour construire leurs pyramides.

Par contre, plusieurs récits nous fournissent un certain nombre de renseignements précis sur la construction des pyramides égyptiennes. L'historien grec Hérodote rapporte que 100 000 ouvriers travaillèrent pendant vingt ans à la construction de la Grande Pyramide de

Chéops et que, tous les trois mois, l'équipe à bout de forces fut remplacée par une équipe fraîche. Un calcul simple nous donne le total fantastique de 8 millions d'ouvriers ayant travaillé à cette pyramide, au long des vingt ans.

Hérodote, qui tient ses informations des prêtres égyptiens eux-mêmes, relate qu'il a fallu, en premier lieu, établir une route pour le transport des matériaux. Ce seul travail a demandé dix ans. L'historien grec décrit ensuite les étranges machines construites pour élever les pierres dont certaines pesaient plusieurs tonnes. Une fois achevée, la Grande Pyramide fut recouverte d'énormes blocs de calcaire sur lesquels les architectes prirent soin de laisser des témoignages écrits de leurs méthodes de travail.

Des blocs de quinze tonnes ajustés avec la précision d'un centième de pouce

Andrew Thomas, de son côté fait un parallèle entre les techniques utilisées par les Indiens d'Amérique et par les Egyptiens pour construire, les uns et les autres, leurs pyramides.

« Lorsque la maçonnerie préinca, note-t-il, fut découverte à Ollantay-Tambo et Sacsahuaman, au Pérou, le poids de certaines des pierres fut évalué à plus de cent tonnes. En dépit de leur masse énorme, les blocs étaient placés avec une telle exactitude qu'on pouvait à peine apercevoir les joints à l'œil nu. En dehors de l'Egypte, ces constructions érigées par les architectes du Pérou n'ont été égalées dans aucun autre pays.

» La Grande Pyramide de Chéops d'Egypte est l'une des pièces de construction les plus précises du monde entier. Ceux qui l'ont érigée ont dû avoir des connaissances supérieures de la géométrie et de l'architecture. On a pu dire : « Le temps se moque de tout, mais les pyramides se moquent du temps ».

» Les blocs polis pesant quinze tonnes et placés à la base de la pyramide de Chéops sont ajustés avec la précision d'un centième de pouce. Un papier fin se laisse difficilement insérer entre ces blocs. »

Les trois itinéraires des survivants de l'Atlantide

La théorie du commun caractère atlante des Egyptiens et des Indiens d'Amérique se heurte, cependant, à une difficulté majeure : comment déterminer le trajet que les survivants atlantes, après le cataclysme qui emporta l'Atlantide, ont emprunté pour parvenir jusqu'aux bords du Nil ?

Les travaux de Marcelle Weissen Zoumlanska apportent un commencement de réponse à cette énigmatique question. Après trente ans de recherches, cette archéologue nous démontre, dans son très volumineux ouvrage *Origines atlantiques des anciens Egyptiens* (Editions des Champs-Elysées, Paris 1965) qu'Egyptiens et Indiens d'Amérique ne sont qu'un même peuple. Après la catastrophe qui détruisit le continent atlante, certains savants et prêtres, accompagnés de nombreux survivants, traversèrent l'Atlantique et réussirent à atteindre les bords du Nil pour s'y établir. L'auteur a même reconstitué les trois itinéraires suivis par ces survivants atlantes.

« Le premier, précise-t-elle, desservait la grande Syrte, vers les îles égéennes ; et nous possédons les ruines de Ptolémaïs.

» Le second, ou route de l'Atlas, entre l'Asie Mineure et les terres nordiques de l'ambre, de l'étain, longeait les Hauts Plateaux numides et mauritaniens allant aux Colonnes d'Hercule.

» Le troisième, le plus ancien – et à coup sûr le plus fréquenté pendant le Paléolithique supérieur jusqu'au Badarien – fut la route tropicale, entre le Ponant et l'Egypte. Elle passait par les quatre oasis (Merzoug, Koufra, Kargueh, Dakhel), beaucoup plus vastes qu'aujourd'hui, puis chez les Ammoniens, les Augiles, les Garamantes, et longeait le nord du Hoggar (...) jusqu'au cap Soloéïs, face aux îles Canaries. »

L'Afrique du Nord, siège d'une civilisation préhistorique avancée

L'archéologue allemand A. Poznansky aboutit à des conclusions assez proches.

Dans son monumental ouvrage, non traduit en français, *Der Mensch von vor 13 000 Jahren* (L'homme d'il y a treize mille ans), Poznansky affirme que l'Afrique du Nord a servi de lieu de passage aux pré-Egyptiens alors que, dans les temps préhistoriques, ils faisaient route vers la vallée du Nil.

Cette hypothèse offre d'autant plus d'intérêt que les pré-Egyptiens ont pu soit exercer une certaine influence sur les populations dont ils traversaient les territoires, soit subir eux-mêmes l'influence de ces populations. La clé de voûte de cette hypothèse est la découverte, au Sahara, des restes de l'«homme d'Asselar». S'appuyant sur cette découverte, Poznansky affirme que l'Afrique du Nord a connu, il y a plusieurs milliers d'années, une haute culture néolithique.

A cette époque, le Sahara oriental et une partie du Soudan occidental étaient habités par une race mystérieuse. On sait d'autre part que le dessèchement du Sahara est un phénomène relativement récent puisque, dans les premiers siècles de notre ère, il comptait encore certaines régions fertiles. Au temps où vivait l'homme d'Asselar, le Sahara devait être partout habitable; il était recouvert de plaines herbeuses et de luxuriantes forêts, traversées par des rivières et entrecoupées de vastes marécages. Les débris et les outils trouvés auprès de squelettes de la race d'Asselar attestent un lien certain entre cette civilisation néolithique et les habitants primitifs de la péninsule Ibérique. Les analogies sont encore confirmées par une comparaison des peintures trouvées dans les deux pays et qui représentent principalement des scènes de guerre et de chasse.

Certaines fresques, statuettes, poteries ainsi que de nombreux idéogrammes gravés dans des cavernes, confirment que l'Afrique du Nord a connu, à cette époque, une civilisation relativement avancée.

Tout cela permet à Poznansky d'affirmer que les pré-Egyptiens ont dû traverser l'Afrique du Nord pour aller en Egypte : fresques et statuettes se retrouvent presque identiques sur les bords du Nil, dès la naissance même de la civilisation égyptienne.

La momie de Tin-Hinan, reine des Touareg

L'archéologue Byron de Prorok, qui défend lui aussi la thèse de l'origine commune des Egyptiens et des Indiens d'Amérique, est également convaincu que les ancêtres des Egyptiens ont dû passer par le Sahara.

Lors d'une expédition effectuée en 1932, il découvre en plein Sahara, au Hoggar, le mausolée de Tin-Hinan qu'on suppose avoir été reine des Touareg aux temps préhistoriques. Le corps de la reine, revêtu de robes de soie, était en excellent état de conservation. Sa tête était ornée d'un diadème d'or enrichi d'étoiles en pierres précieuses. Près de sa momie, on trouva encore une belle statue et toute une collection d'objets précieux. Le crâne de la reine est remarquablement proportionné et permet de penser qu'elle appartenait à une race déjà affinée. Il semble, d'après certaines données, que l'on puisse situer le règne de Tin-Hinan à quelques milliers d'années avant notre ère.

La momie de la reine Tin-Hinan, pense Byron de Prorok, est un maillon d'une sorte de chaîne de la momification qui va de l'Amérique jusqu'à l'Egypte. Et il conclut que la pratique de l'embaumement est incontestablement une tradition héritée des premiers habitants de l'Atlantide.

QUATRIÈME PARTIE

LES PROFANATEURS À L'ŒUVRE

*« Ceux-là qui bâtirent dans le granit,
qui construisirent une salle dans la
pyramide, qui dans un beau travail
créèrent de la beauté... leurs autels
sont aussi vides que ceux des malheureux
qui meurent sur le rivage sans
personne pour leur fermer les yeux. »*

Extrait d'un papyrus conservé à Turin.

A la 8ème heure de la nuit, la barque solaire est attaquée par Apep : c'est le moment le plus dangereux du voyage de Râ. La «grande Magicienne» Isis doit, grâce à ses enchantements, porter secours au dieu…» Rê (assimilé parfois à Horus) était le soleil diurne et Osiris le soleil nocturne, deux aspects complémentaires d'une même grande «âme». Sur notre photo, porteurs de la barque solaire sur un bas-relief du Ramesseum de Thèbes. *Roger-Viollet.*

Chapitre I

LE TOMBEAU INVIOLÉ DU ROI CHÉOPS

SUR les 69 pyramides élevées par les pharaons, toutes ont été profanées par des foules déchaînées, à l'exception d'une seule demeurée inviolée : celle du roi Chéops, la Grande Pyramide. Ce magnifique monument funéraire, l'une des sept merveilles du monde et l'une des plus prodigieuses réalisations architecturales de tous les temps, a survécu, intact, aux désordres qui ont suivi la chute sanglante de l'Ancien Empire en 2300 avant J.-C.

Sans revenir ici sur les innombrables mystères que recèle, selon certains, la Grande Pyramide [1], il nous semble intéressant d'exposer la très étonnante thèse défendue par l'archéologue allemand Otto Muck dans son ouvrage *Chéops et la Grande Pyramide* (Payot, 1961). Une thèse pleine d'aperçus fascinants, étayée par des preuves archéologiques et des documents, dont nous ne pouvons, dans le cadre de cet ouvrage, qu'indiquer les éléments principaux.

---

1. Voir, du même auteur, *Les Secrets de la Grande Pyramide* (Éditions François Beauval, 1976).

Chéops, fondateur du royaume théocratique d'Egypte

Tout d'abord, Otto Muck affirme que Chéops a été divinisé de son vivant, en une véritable révolution théocratique et politique par laquelle il a imposé un nouveau dieu supérieur, Râ, dieu-soleil, auquel il s'est identifié. L'auteur en trouve la confirmation dans la chronique égyptienne de Manéthon. Bien sûr, reconnaît Otto Muck, Manéthon n'est pas toujours digne de foi. Il est même le contraire d'un historien scrupuleux. Il a des manies et des partis pris. Il a commis quelques erreurs en établissant certaines chronologies de dynasties pharaoniques. Mais ses textes, quoique suspects, donnent des renseignements précieux. Que dit Manéthon de Chéops ? il dit ceci : « Souphis-Chembes, qu'Hérodote appelle Chéops, celui qui a construit la Grande Pyramide (...) a écrit le livre sacré et il est monté de son vivant auprès des dieux. »

Otto Muck, pour qui Chéops est le plus grand réformateur religieux et politique de l'Ancien Empire et même de toute l'Egypte ancienne, commente ainsi ce court passage :

« Chéops est le seul auquel Manéthon attribue cette apothéose. Que veut-il donc insinuer en nous disant qu'il est monté de son vivant auprès des dieux ? Il précise que Chéops était déjà, de son vivant, un dieu sur la terre et qu'il la quitta de son plein gré pour rejoindre ses frères dans l'au-delà. Cela ne concerne que Chéops, car lui seul a vécu ce prodige au vu et au su de tout son peuple : son union avec l'être céleste le plus puissant, descendu en lui pour s'y incorporer, Râ, devant qui les animaux du ciel pâlissent, qui fait monter et baisser le Nil et qui règne sur les deux parties du monde. Cette citation nous prouve que Chéops représentait vraiment tout cela pour son peuple. Elle confirme l'originalité de ce roi, qui ne construisit pas seulement la plus grande de toutes les pyramides, mais qui fut le plus grand roi de l'Ancien Empire, le véritable fondateur du royaume théocratique d'Egypte. »

Chéops contre les prêtres de Ptah

Naturellement, explique Otto Muck, ce prodigieux bouleversement religieux opéré par Chéops n'a pas été du goût de tout le monde. Il a porté ombrage à certains prêtres égyptiens qui n'ont pas vu d'un bon œil l'instauration d'un royaume théocratique autour de Chéops-Râ. Les innovations apportées par le pharaon-dieu ont perturbé ces prêtres ; elles ont changé leurs habitudes et atteint leur prestige. Si tous les prêtres égyptiens ne se sont pas soulevés contre Chéops, si certains se sont même ralliés assez rapidement à ses réformes, les prêtres de Memphis qui servaient le dieu Ptah, jusqu'alors l'aîné et le plus vénérable des dieux, se montrèrent irréductibles. L'introduction du nouveau dieu Râ les a atteints plus que les autres car ils constituaient presque un «État dans l'État» et exerçaient une influence considérable sur le peuple, sur les fonctionnaires du pharaon et sur le pharon lui-même.

En réalité, suggère l'archéologue allemand, il ne faut voir dans l'abaissement des prêtres de Ptah que la première étape de la grande réforme de Chéops. Une étape nécessaire qui doit marquer, aux yeux du peuple et des prêtres, la rupture définitive entre l'ancien et le nouvel ordre des choses. Car, instituer une religion monothéiste consacrée au dieu étranger Râ, dans un pays profondément attaché à ses dieux totémiques et à ses croyances, n'est pas une mince affaire.

La Grande Pyramide, gardienne du calendrier solaire

Dans une seconde étape, Chéops va modifier le plan initial de la Grande Pyramide, cette pyramide qui est, si l'on peut dire, la «grande idée du règne». Les fouilles archéologiques ne laissent aucun doute à ce sujet, affirme Otto Muck. Le pharaon la destinait, sans doute, à être sa sépulture. Désormais élu du nouveau dieu solaire, il «consacre» sa pyramide à Râ. Il aurait donc fait d'une tombe exclusivement personnelle le premier sanctuaire de Râ et aurait ainsi élevé un monument grandiose au nouveau dieu national et à lui-même.

En outre, «la façon dont Chéops exécuta ce projet, écrit Muck, prouve une fois de plus le mélange d'idéalisme et de réalisme de son caractère. Ce sanctuaire était, pour lui, mieux qu'un lieu de prière ou qu'une demeure divine ; il fallait que tout soit contenu dans la pyramide ou dans ses environs. Voyons comment un homme comme Chéops aurait pu élever un sanctuaire à son Manitou. Pour un totémiste, le sanctuaire est le réceptacle, le lieu où réside la force magique du Manitou, c'est de là qu'elle rayonne bénéfiquement et la forme extérieure devait s'adapter à cette fonction interne. Comment s'exprimait, pour un Egyptien, la force du Manitou ? En faisant monter et baisser les eaux du Nil, ce qui est l'expression totémique de notre conception moderne du rythme périodique et solaire du Nil. Comment rendre cette force magique utile au pays ? Par la connaissance de la périodicité manifestant la substance la plus secrète du Manitou solaire. Cette périodicité était marquée chronologiquement par les périodes du nouveau calendrier solaire ou calendrier de Sothis ; elle était conservée dans la mémoire des « sages » et probablement dans la pierre et dans les papyrus. »

Mais cette connaissance n'est pas éternelle : les sages meurent, la pierre s'effrite, le papyrus s'abîme. Chéops va donc confier à son architecte le soin d'inscrire dans la pyramide elle-même le nouveau calendrier solaire.

Un moyen simple et sûr

Comment imprimer dans la pyramide les données de ce calendrier ? Comment fixer ces relations de chiffres et symboliser par cette pyramide gigantesque les caractéristiques chronologiques du calendrier sothiaque qui a sauvé l'Egypte des inondations du Nil en permettant de prévoir les crues du fleuve et de se garantir, par là même, de leurs effets désastreux ? « La pyramide en construction, écrit Muck, lui permit en effet de faire la démonstration de sa formule, car elle avait quatre côtés et la petite période intercalaire de Sothis est, elle aussi, de quatre ans. Il suffisait, par conséquent, de trouver une concordance de mesures entre les 365 jours d'une année moyenne et la longueur de la base pour fixer dans le tracé de la construction géante le petit nombre de Sothis : 4 x 365 = 1460 (...) Si la mesure utilisée était, en même temps, divisible par cinq (c'est-à-dire en cinquièmes, vingt-cinquièmes et cent vingt-cinquièmes), ces divisions par cinq auraient fixé également les grands nombres de Sothis : 25 x 1460 ; 5 x 25 x 1460. »

La Grande Pyramide, selon cette hypothèse, doit garder, pour l'éternité, son caractère pratique. Mais ce caractère pratique doit être accessible à tout le monde. Même le plus illettré des fellahs de la vallée du Nil doit être en mesure de comprendre les données du calendrier solaire à travers l'ordonnance de la pyramide. Et comme Chéops est, selon Muck, un souverain réaliste, il a certainement fait usage du moyen à la fois le plus simple et le plus sûr pour que son peuple se souvienne des périodes sothiaques. Pour découvrir ce «moyen», notre auteur use d'une argumentation, sinon convaincante, du moins fort ingénieuse et poétique.

Les «statues marchantes» de l'Egypte antique

Dans un premier temps, Otto Muck «jette un coup d'œil dans l'âme de l'Egypte antique» en observant attentivement les «attitudes» des innombrables statues léguées par l'Ancien Empire. Or, constate l'auteur, ces statues ne sont pas, en général, figées dans une attitude immuable. La plupart donnent l'impression de marcher, de «cheminer le long d'un chemin imaginaire, d'éternité en éternité, le regard fixé sur un but invisible pour nous, le pied gauche avancé tandis que le poids du corps repose sur la jambe droite».

Quel enseignement tire Otto Muck de ces statues marchantes, si l'on peut dire? Le peuple du Nil, selon lui, s'imaginait marchant sur une route dont il ne pouvait s'écarter et qui le menait du temps vers l'éternité; personne ne pouvait s'arrêter; pas après pas, il fallait avancer, dans une procession magique. Ainsi, en interprétant bien le langage des statues, on comprend ce qu'elles enseignent: l'Egyptien était un voyageur parcourant le temps et l'éternité, un homme désireux d'exprimer, par sa démarche cérémonieuse, son sens profond de la vie. Celui qui désirait continuer sa marche après sa mort devait participer, durant sa vie, aux cortèges solennels, aux processions, aux parades et se joindre aux réunions communes.

Des chemins enchâssés
dans de puissantes constructions de pierre

Dans un second temps de son argumentation, et toujours soucieux d'étayer ses dires par des textes, Otto Muck cite tour à tour l'historien grec Hérodote et l'archéologue allemand Otto Spengler pour prouver combien les Egyptiens étaient friands de processions et de marches.

«Les Egyptiens, écrit l'historien grec, ont été les premiers parmi tous les peuples à introduire des cortèges et des sacrifices dans leur vie quotidienne… Les Egyptiens ne tiennent pas ces réunions seulement une fois par an, mais très souvent, et en particulier à Bubastis, en l'honneur d'Artémis, et à Busiris, en l'honneur d'Isis… En troisième lieu, ils célèbrent la fête d'Athéna à Saïs, en quatrième lieu celle de Hélios à Héliopolis, en cinquième lieu celle de Léto à Buto et, en sixième lieu, celle d'Arès à Papremis…»

Quant à Otto Spengler, il considère que le thème de la marche est un motif original que l'on rencontre partout dans les temples et les tombeaux égyptiens. De nombreuses inscriptions révèlent que le défunt souhaite pouvoir ressusciter, ne serait-ce qu'un seul jour, pour participer une fois encore à ces merveilleuses processions. Selon Spengler, le motif du «chemin» est le symbole fondamental de l'art égyptien. Un chemin est quelque chose de réel sur lequel les pieds des marcheurs vivants marquent cérémonieusement la mesure. La marche est une expérience dynamique, une action par laquelle la profondeur, la «troisième dimension» est conquise et véritablement vécue. Le chemin est une réalité concrète; il continue à exister quand ceux qui l'ont piétiné se sont évanouis pour toujours.

«Les temples funéraires de l'Ancien Empire, écrit Spengler, en particulier les énormes temples-pyramides de la IVe dynastie, ne représentaient pas, comme les mosquées ou les cathédrales, un édifice harmonieusement articulé, mais une suite de pièces se succédant suivant un certain rythme. Le chemin sacré conduisait du péristyle jusqu'au bord du Nil, à travers de vastes salles, des couloirs, des cours à arcades, des salles à piliers se rétrécissant peu à peu jusqu'à la dimension de cryptes; de même les temples de la IVe dynastie ne sont pas des édifices, mais des chemins enchâssés dans de puissantes constructions de pierre…»

Le chemin pavé de la Grande Pyramide, rappel du calendrier sothiaque

Otto Muck cite aussi un texte de celui qui constitue, à ses yeux, l'«autorité absolue», c'est-à-dire l'égyptologue anglais Breasted. Ce dernier parle d'une «avenue pavée de pierres massives, terminée du côté de la ville par un imposant édifice en granit (...) Cette avenue conduit de la ville à la pyramide. L'ensemble forme un portail grandiose, une entrée digne d'un tombeau aussi imposant. Les jours de fête, un cortège de prêtres vêtus de blanc, venus de la ville, traversait le portail à travers le long couloir blanc (...) jusqu'au temple que dominait l'énorme colosse de la Pyramide.»

Tous ces textes prouvent, incontestablement, que les pyramides se trouvaient au centre des processions solennelles et des cortèges liturgiques. Mais que sait-on de plus sur la pyramide de Chéops elle-même? On sait, répond Muck en s'appuyant sur les travaux de l'archéologue Borchardt qu'il cite longuement, que la Grande Pyramide est posée sur un socle toujours visible et entourée d'un large pavé de pierres calcaires.

Découle de tout cela la conclusion à laquelle veut nous amener Otto Muck. Le chemin pavé qui entoure la Grande Pyramide est précisément le moyen simple et sûr utilisé par Chéops: chemin processionnel, il est en relation numérique avec les périodes du calendrier sothiaque. Cette conclusion nous vaut un nouveau portrait dithyrambique de Chéops. L'auteur rend hommage à ce pharaon «aussi grand qu'astucieux». Sans reproduire les nombreux et complexes calculs auxquels s'est livré notre auteur, on peut dire, pour résumer, qu'il faut une demi-heure environ au roi pour faire le tour de la pyramide et revenir à son point de départ. 1460 pas ont été parcourus et comptés à haute voix. Ce chiffre représente le nombre de jours du premier cycle de Sothis et le nombre d'années de la petite période sothiaque. Tous ceux qui défilent ainsi savent que chaque pas, limité par les pavés du chemin sacré, est de 25 pouces. 1460 x 25 = 36 500, soit le deuxième nombre de Sothis. De même on retrouve, par d'autres calculs, le troisième nombre de Sothis.

La pyramide n'est pas le tombeau de Chéops

Telle est, selon Otto Muck, la vraie signification de la Grande Pyramide. Une signification qu'aucune destruction ne peut atteindre, puisqu'elle est inscrite dans ce chemin sacré pratiquement indestructible. Pour le détruire, il faudrait, en effet, détacher chacune des deux millions de pierres carrées, et trouver le moyen de les emporter. C'est seulement ainsi qu'on pourrait atteindre les fondations de la pyramide marquant le bord intérieur du chemin sacré qui contient dans ses dalles la formule des périodes sothiaques.

Comme on le voit, la thèse que soutient Otto Muck nie absolument le caractère funéraire de la Grande Pyramide. Chéops, affirme-t-il, n'a jamais été enterré dans la fameuse chambre du roi que beaucoup d'archéologues et d'égyptologues identifient à la sépulture du pharaon. En réalité, Chéops est enterré dans un tombeau taillé dans le roc, situé sous la Grande Pyramide et entouré par les eaux du Nil. Pour appuyer son affirmation, Muck se tourne de nouveau vers Hérodote qui donne sur ce tombeau de précieux renseignements. Dans le passage qu'il consacre à Chéops, le père de l'Histoire écrit : «... A cela s'ajouteraient, sur la colline où s'élèvent les pyramides, les chambres souterraines qu'il fit construire sur une île pour y être enseveli, car il amena le Nil par un fossé. (...) Chéphren, par exemple, se fit construire également une pyramide mais elle n'égale pas celle-ci en grandeur. (...) Il n'y a pas non plus d'appartements souterrains et aucun bras du Nil n'y conduit qui passerait par un fossé maçonné et entourerait intérieurement une île où l'on dit que Chéops est enseveli...»

La momie de Chéops à l'abri des profanateurs, pour l'éternité

Pourquoi tant de précautions, et que craignait donc le pharaon ?

L'auteur voit deux raisons à ses précautions et à ses craintes. La première est d'ordre religieux. Après le bouleversement théologique profond opéré par Chéops et après sa propre identification au dieu soleil Râ, le pharaon s'est, en quelque sorte, «divinisé». Il est devenu immortel, comme les autres dieux. Un dieu immortel ne peut être enterré. Il n'était donc plus question pour Chéops d'employer le rituel funéraire en usage pour les rois d'Egypte. C'est exactement le sens de la courte note de Manéthon déjà citée : du fait qu'il fut de son vivant un « dieu vivant », le pharaon est monté vivant auprès des dieux. Aux yeux de ses sujets, Chéops n'est mort qu'en apparence. Il a simplement abandonné la vie terrestre pour monter au ciel. Selon Otto Muck, quand Chéops mourut, tous ceux qui croyaient à sa divinité firent semblant de ne pas s'apercevoir de sa mort, ses fils et ses fidèles turent ce qui y ressemblait car, pour eux, Chéops « vivait » toujours. Et comme on ne peut pas inhumer quelqu'un qui n'est pas « mort », on ne pouvait songer qu'à un enterrement secret.

La deuxième raison aux précautions et craintes de Chéops est d'ordre politique. Chéops s'est fait de nombreux ennemis de son vivant en modifiant les croyances égyptiennes. Des ennemis puissants appartenant à diverses classes de la société. Il y a d'abord, on l'a vu, les prêtres de Ptah, frustrés de leur pouvoir et de leur prestige par les réformes de Chéops. Mais il y a aussi les princes, les chefs des familles nobles qu'il a privés de leur revenu principal : les offrandes. Ces ennemis chercheront naturellement à se venger sur sa tombe ou sur sa momie. Or pour un Egyptien, nous le savons, il était bien plus grave d'être privé de la vie éternelle que de la vie terrestre. Et aucune vengeance n'aurait pu frapper plus sévèrement le roi Chéops que la destruction de sa tombe véritable, la profanation de sa momie.

Il était facile pour ses ennemis, s'ils connaissaient sa tombe, de saccager son sarcophage et ses effigies funéraires, d'effacer ainsi son nom pour toujours. Chéops le savait et, s'il ne songea jamais à un enterrement officiel, c'est que sa tombe, aussitôt repérée, aurait fait l'objet d'attentats secrets ou publics de la part de ceux qui avaient beaucoup de motifs pour le haïr.

La preuve que Chéops a agi en cela avec un discernement admirable, souligne Muck, c'est ce qui arriva à ses successeurs Chéphren et Mykérinos. Ceux-ci eurent la tragique faiblesse de se faire inhumer, avec les cérémonies traditionnelles, dans leurs pyramides. Lors de la chute de l'Ancien Empire, la noblesse, les prêtres et même la foule des fellahs se sont déchaînés et ont détruit leurs tombes comme celles des autres pharaons, sauf celle de Chéops qui était à l'abri des profanateurs, pour l'éternité. Le sombre tableau que trace Breasted de l'effondrement de l'Ancien Empire, que nous avons déjà évoqué, semble confirmer la thèse d'Otto Muck : « Les luttes civiles qui provoquèrent la chute de l'Ancien Empire provoquèrent en dernier lieu une fermentation des esprits qui donna pendant un certain temps la victoire aux factions les plus turbulentes. Nous ne savons pas d'une façon précise quand se produisit la catastrophe, ni par qui elle fut déclenchée ; il n'y a qu'une chose certaine, c'est que les magnifiques tombes monumentales des plus grands souverains de l'Ancien Empire furent victimes d'une véritable rage de destruction et que nombre d'elles furent entièrement détruites. Les temples ne furent pas seulement pillés et profanés, mais leurs œuvres d'art les plus belles furent victimes d'un vandalisme systématique et conscient ; les magnifiques statues des rois, en granit et diorite, furent cassées en morceaux ou jetées dans le puits qui se trouvait près de la porte donnant accès à la rampe montant à la pyramide. C'est ainsi que les ennemis de l'ancien régime se vengèrent de ceux qui l'avaient dirigé… »

La Grande Pyramide protège le sommeil éternel du pharaon

Où se trouve *exactement* le tombeau de Chéops ? Le renseignement que donne Hérodote le situe sous la Grande Pyramide, sans donner davantage de détails. Selon Muck, la véritable chambre funéraire, où repose toujours la momie de Chéops, se situerait à environ 55 mètres sous la pyramide, ce qui la rend totalement inviolable, même de nos jours. Ce n'est là, toutefois, qu'une pure supposition. En effet, malgré toutes les fouilles menées à l'intérieur de la Grande Pyramide, on ne sait toujours pas où se trouve exactement la sépulture du roi Chéops ; aucune indication n'a été fournie, à ce jour, sur la position précise du tunnel et du canal venu du Nil qui y débouchait. Tout laisse à penser que le roi réformateur s'est ingénié à brouiller les pistes pour échapper aux profanateurs.

Un épais mystère plane donc toujours sur la tombe de Chéops. Sa momie gît-elle, quelque part, au cœur rocheux de la Grande Pyramide, là où personne ne pourra l'atteindre ? Est-elle secrètement enfouie dans l'un des innombrables couloirs qui forment, à l'intérieur de ce prodigieux monument, un labyrinthe inextricable ?

Depuis des siècles et des siècles, les pilleurs de tombes se sont acharnés à la rechercher. En vain. La Grande Pyramide, protection indestructible, assure l'éternité inviolable du plus grand pharaon de l'Egypte.

DEUX PROCÈS VIEUX DE 3000 ANS

L A chute de l'Ancien Empire est suivie par une période inter-médiaire d'environ cent soixante-dix années durant laquelle le Moyen Empire s'épanouit. Grâce à l'accession au pouvoir des princes thébains, cette période est marquée par la construction de nombreux et splendides édifices.

A partir de 1555 avant J.-C., à l'époque de la XVIIIe dynastie, qui inaugure le Nouvel Empire, surgit la plus vaste nécropole du monde, la Vallée des Rois ou Biban-el-Molouk, située sur la rive ouest du Nil, en face de Karnak, l'ancienne Thèbes, et Louxor.

Pourquoi cette soudaine concentration de tombes?

Les pharaons organisent la défense de leurs dépouilles

Depuis l'effondrement catastrophique de l'Ancien Empire, l'ordre certes a été rétabli mais l'habitude a été prise par certains individus de profaner les tombes.

Des pharaons du Nouvel Empire décident alors de se prémunir contre ces profanations en creusant leurs tombes profondément dans des rochers, de façon qu'elles soient parfaitement invisibles de l'extérieur. En outre ces tombes sont séparées d'environ un kilomètre du temple où se déroulent les cérémonies d'offrandes.

Thoutmosis Ier est l'instigateur de cette façon de faire qui rompt avec une tradition de dix-sept siècles. Il lui faut beaucoup de hardiesse pour oser séparer ainsi son corps des offrandes nécessaires à sa survie. Sans doute, Thoutmosis Ier préfère-t-il prendre ce risque que d'exposer son sépulcre à être un jour violé et sa momie détruite.

« Un temple de millions d'années »

Sur les funérailles et la sépulture de ce pharaon, nous disposons d'un remarquable document. Il s'agit d'un papyrus, conservé au British Museum, dans lequel Thoutmosis Ier lui-même prend soin de décrire avec minutie la construction de son temple funéraire, à Thèbes.

Voici ce document, adressé à Râ-Amon, le dieu-soleil : « Je t'ai fait un somptueux « Temple de millions d'années », situé près de la montagne de Neb-ankh et tourné vers ton lever. Il a été construit en grès, en granit gris et en basalte ; les battants de sa porte sont en bronze doré et ses pylônes, bâtis en pierre, s'élèvent jusqu'au ciel et sont ornés d'inscriptions gravées au nom de Ta Majesté.

» Tout autour, j'ai élevé une enceinte avec ses escaliers et ses terrasses en grès. Devant, j'ai creusé un bassin rempli d'eau du ciel et ombragé de plantations aussi verdoyantes que les marais de papyrus de la Basse Egypte.

» J'ai empli ses trésors de tous les biens de l'Egypte : argent, or et pierres précieuses en quantités innombrables. Ses greniers sont pleins de blé et de céréales des champs. Ses troupeaux sont aussi nombreux que les grains de sable au bord des canaux. Je lui ai réservé les tributs du Delta et de la Thébaïde ; la Nubie et la Phénicie lui appartiennent avec leurs redevances et il s'enrichit du butin que, grâce à toi, j'ai enlevé aux nations étrangères. Les jeunes esclaves s'y comptent par centaines.

» J'ai fait une statue à ton image ; elle est placée dans l'intérieur de ce temple, et son nom glorieux est Amon, « Créateur de l'Eternité ». J'ai fait faire des vases d'offrandes en or pur, et d'autres, sans nombre, en argent et en bronze.

» J'ai multiplié pour toi les offrandes en pain, vin, bière, oies grasses, bœufs, veaux, bestiaux de toute sorte, antilopes, gazelles, le tout destiné à cette statue.

Une grande corniche recouverte d'or pur

»J'ai fait extraire, pour ce monument, une montagne de blocs d'albâtre et de grès. Je les ai fait tailler pour les édifier de chaque côté de la porte du temple; j'y ai fait graver des inscriptions en ton nom illustre d'«Initiateur de l'Eternité».

»J'ai fait sculpter et distribuer, dans son intérieur, d'autres statues en granit rose et en grès, avec des socles en basalte. J'ai fait faire les images de Ptah, Sokar, Nefer-Toum, en compagnie du Cycle Divin, terrestre et céleste et je les ai placées dans l'intérieur du naos. Elles sont recouvertes d'or et d'argent, et émaillées de pierres précieuses travaillées avec grand soin.

»J'y ai fait construire un sanctuaire semblable à celui de Toum. Les colonnes, les gonds et les battants de portes sont en électrum. La grande corniche qui en fait le tour est recouverte d'or pur.

»Des bateaux chargés de froment et d'épeautre sont dirigés vers ses greniers, sans discontinuer. J'y ai fait établir un magasin d'approvisionnements et de grands chalands sillonnent sans cesse le Nil pour emplir ses trésors.

»Ce temple est entouré de vergers, de jardins, de parterres chargés de fleurs et de fruits pour Ta Majesté. Il s'y trouve des kiosques pour l'été avec de grandes baies ouvertes à l'air. Devant, j'ai fait creuser un canal dont les eaux fourmillent de lotus et de nénuphars.»

Le gang des voleurs dresse des fichiers

D'autres pharaons imitent Thoutmosis et font construire leurs tombes de plus en plus près les unes des autres.

Toute une vie s'organise autour de ces tombeaux. Un fonctionnaire spécial, le *prince de l'Ouest, commandant de l'armée de la nécropole*, dirige un personnel varié, composé de sentinelles, terrassiers, ouvriers du bâtiment, peintres, artistes et embaumeurs.

Cependant, en dépit de ces nombreuses présences, les voleurs parviennent à se glisser dans la nécropole et à en extirper des trésors.

Les larcins se produisent le plus souvent la nuit, peu de jours après l'inhumation, alors que la cire des sceaux apposés sur la tombe est encore fraîche.

De véritables courses opposent alors les divers gangs qui sévissent dans les tombes. Chacun souhaite arriver le premier sur les lieux afin d'obtenir la meilleure part du butin.

Pour y parvenir, des fichiers sont dressés : on détermine, avec minutie, les jours des funérailles ; on chiffre le montant approximatif du butin convoité.

Les pillards réunissent ces renseignements en s'infiltrant à la cour, au temple, parmi les scribes, les policiers et les embaumeurs. Ils recrutent également des indicateurs, réussissent même à s'assurer la complicité de certains fonctionnaires de la nécropole.

Comme il faut se prémunir contre les rites de malédiction, et neutraliser les ombres qui protègent la momie, le chef de gang s'adjoint, en général, un prêtre qui, en sa qualité de «spécialiste», peut agir avec efficacité.

Des gardes corrompus ou drogués

«Quels étranges spectacles la vallée a-t-elle dû voir et quelles tentatives téméraires ont dû s'y dérouler, écrit le célèbre archéologue Howard Carter. On imagine les jours de préparatifs secrets, les rendez-vous clandestins, de nuit, sur la falaise, les gardes corrompus ou drogués, puis les excavations hâtives dans l'obscurité, les reptations pour se glisser par un trou étroit dans la chambre funéraire, la recherche frénétique, à la lueur d'une flamme tremblotante, d'objets précieux transportables, et le retour à l'aube de gens chargés de butin. On peut imaginer et l'on se rend compte que c'était inévitable. En fournissant à la momie l'appareil compliqué et coûteux qu'il jugeait indispensable à sa dignité, le roi préparait lui-même sa destruction. La tentation était trop forte. Des richesses qui dépassaient tout ce que la cupidité pouvait imaginer gisaient là, à la disposition de qui trouverait le moyen de les atteindre et, tôt ou tard, les écumeurs de tombeaux devaient y parvenir.»

Compte tenu de l'audace des pillards, il est en effet bien difficile de protéger efficacement l'intégrité des momies. Le grappillage est permanent.

Certains voleurs, par exemple, n'hésitent pas à amputer les momies pour s'emparer des bijoux qui couvrent leurs membres ou leurs troncs.

D'aucuns vont jusqu'à gratter la pellicule d'or qui recouvre le masque funéraire, la poitrine du mort et les parois du sarcophage afin de récupérer la poudre.

Les salles funéraires sont peu à peu vidées presque totalement de leurs contenus ; quant aux temples et tombeaux d'animaux, ils ne sont pas, non plus, épargnés. Mais, contrairement à ce qui se passait lors de la chute de l'Ancien Empire, ces crimes ne demeurent pas toujours impunis. En violant les sépultures, les profanateurs s'exposent à la mort la plus atroce.

Deux papyrus, conservés également au British Museum, nous racontent deux procès célèbres de pillards, qui eurent lieu il y a plus de trois mille ans.

« Chacun d'eux me donna dix deben d'argent »

La première affaire eut lieu dans la province de Nebmaranakht.

Là, comme dans les autres provinces, le vizir, juge suprême nommé par le pharaon, supervise les « conseillers secrets pesant sur les sentences secrètes de la grande Maison ». Ces conseillers, qui forment le tribunal, sont, dans le cas présent, le surintendant du trésor du pharaon et surintendant du grenier royal, l'écuyer, le majordome du palais royal et, enfin le scribe du pharaon.

Le premier suspect, le berger Boukhaaf, comparaît devant les juges et prête serment. Le vizir parcourt rapidement le papyrus qui se trouve devant lui puis interroge l'inculpé :

— Quand as-tu commencé à commettre les méfaits qui ont amené ton arrestation et pour lesquels tu es livré au pouvoir du pharaon ? Quels étaient les autres individus qui t'accompagnaient lorsque tu te rendais dans les grands tombeaux ?

— Ainsi que vous le savez, répond l'accusé, je suis un paysan et je travaille sur les terres dépendant du temple d'Amon. Un jour, alors que j'étais en train de faire mon travail dans les champs, une femme est venue vers moi, une certaine Nesmout; elle me déclara que quelqu'un avait découvert des objets précieux que l'on pouvait vendre pour acheter du pain. La femme m'invita à la suivre et me dit que je pouvais, moi aussi, participer au partage du butin et que nous pourrions manger ensemble. J'arrivai bientôt au lieu sacré en compagnie de Nesmout; cinq autres personnes se trouvaient déjà sur place: Perpetheou, le clairon du temple d'Amon; un étranger nommé Ouserhenakht qui était l'un des hôtes du palais du prince gouverneur de cette province; Nesamon et Ankhef-Khnos, deux brûleurs d'encens du temple d'Amon; le dernier était Amenkhaou, fils de Hori, chanteur et curateur des tables des offrandes dans le temple d'Amon. Chacun d'eux me donna dix deben d'argent.

«Assez! Je dirai tout!»

Le vizir, qui pressent que Boukhaaf lui cache la vérité, ordonne que l'on inflige au berger un certain nombre de coups de bâton.

Cette pratique de la bastonnade est courante, à cette époque, en Egypte. Les hommes de la police détachés auprès des tribunaux sont, en effet, habilités, pour extorquer des aveux, à utiliser tous les moyens qu'ils jugent utiles. La bastonnade est la méthode la moins «sophistiquée». Mais il y en a d'autres, encore plus convaincantes, et plus redoutables, telles que la torsion des poignets et des chevilles ou la torture par le feu.

Les aveux ainsi obtenus ne sont, du reste, que pure formalité, le sort des prévenus étant généralement fixé dès le début des procédures...

Boukhaaf est bâtonné jusqu'à ce qu'il n'en puisse plus.

– Assez! s'écrie-t-il, je dirai tout!

– C'est bon, cessez les coups de bâton! ordonne le vizir. Maintenant, Boukhaaf, explique-toi. Fais-nous le récit complet de ce qui s'est passé et indique-nous comment tu as pu pénétrer à l'intérieur des tombeaux.

«J'ai sorti le sarcophage... en argent ainsi que le linceul tissé d'or et d'argent»

Boukhaaf semble à nouveau hésiter, mais le souvenir cuisant de la bastonnade le ramène à la raison :

– C'est Peouer, un fonctionnaire appartenant aux services de la nécropole, qui m'a indiqué où se trouvait la tombe de la reine Hebredjet.

– Dans quel état était ce tombeau ? questionne le vizir.

– En vérité, il était déjà ouvert quand j'y parvins, répond Boukhaaf.

Une nouvelle série de coups de bâton s'abat sur lui, tandis que le vizir hurle :

– Raconte-nous exactement ce que tu as fait !

A demi conscient, Boukhaaf murmure :

– J'ai sorti le sarcophage intérieur, celui qui était en argent, ainsi que le linceul tissé d'or et d'argent ; j'ai été aidé dans cette tâche par tous ceux qui se trouvaient avec moi à l'intérieur de la tombe. Nous avons tout mis en pièces et puis nous nous sommes partagé les morceaux avant de nous séparer.

Les aveux de Boukhaaf ainsi obtenus, les juges procèdent à l'interrogatoire circonstancié de ses coïnculpés.

Ceux-ci avouent sans trop attendre. Perpetheou, le clairon au temple d'Amon, est si terrorisé à l'idée de subir la torture qu'il est prêt à tout avouer.

– Si je mens, proclame-t-il, que l'on me mutile et que l'on me déporte en Ethiopie[1].

Ces divers aveux entraînent la condamnation à mort et l'exécution de Peouer, fonctionnaire appartenant aux services de la nécropole.

Une fabuleuse histoire vieille de 3000 ans

Même si les moyens qu'il emploie sont contestables, il faut reconnaître que le tribunal qui juge Boukhaaf et ses complices vise honnêtement la recherche de la vérité.

---

1. Ces deux peines étaient, à l'époque, les deux peines les plus lourdes de l'arsenal répressif, après la peine de mort bien entendu.

L'affaire qui va suivre, et que l'on connaît sous le nom de *Procès Peser-Pewero,* est le type même du procès camouflé. Tout y est mis en œuvre pour éviter un scandale qui affecterait de hautes personnalités.

Voici cette fabuleuse histoire, vieille de 3000 ans.

Thèbes, vers les années 1100 avant J.-C., est gérée par deux surintendants. Le premier, nommé Peser, règne sur la partie orientale de la ville appelée *Cité des vivants.* Le second, Pewero, régit la partie occidentale de Thèbes ou *Cité des morts,* à cause de la nécropole qui s'y trouve.

Peser, fonctionnaire zélé et scrupuleux, est scandalisé par la conduite de son homologue Pewero qui ne cesse de s'enrichir grâce aux trésors qu'il fait dérober à l'intérieur des tombeaux dont il a la charge.

Peser a donc décidé de faire inculper son collègue Pewero.

L'accusation plonge le vizir dans l'embarras

Dans le plus grand secret, car son pouvoir est limité à la *Cité des vivants,* Peser réunit de nombreux témoignages attestant la complicité du surintendant de la *Cité des morts* avec les pillards de la nécropole royale.

– Comment, confie Peser à l'un de ses adjoints, pourrait-on ignorer le fait qu'un haut dignitaire, chargé de diriger les travaux de construction des hypogées et toutes les opérations relatives aux temples funéraires, puisse violer ces mêmes tombes afin d'en tirer profit ?

La réunion de tous les témoignages nécessite plusieurs mois. Enfin, un matin, Peser se rend chez le vizir de la province thébaine, Chamwes, et dépose sur son bureau une liste détaillée des tombes pillées par Pewero.

Dix d'entre elles abritent des pharaons et des prêtresses ; de nombreuses autres appartiennent à des nobles, des fonctionnaires, de riches commerçants et propriétaires terriens, des officiers des troupes royales.

L'accusation plonge le vizir dans l'embarras.

«Une histoire forgée de toutes pièces»

C'est que, comme bien d'autres hauts fonctionnaires, Chamwes a accepté certaines largesses de Pewero. Il ne peut, toutefois, refuser d'ouvrir une procédure publique contre ce dernier.

Une enquête judiciaire va donc être menée. Deux prêtres, deux scribes et deux officiers de police forment la commission chargée de vérifier l'accusation.

Les enquêteurs visitent tout d'abord les tombes royales et les groupes de sépultures cités par Peser et dressent l'inventaire des dégâts.

Puis, dans un deuxième temps, la commission procède à l'audition des gardiens, prêtres, parents ayant quelque rapport avec l'affaire. Enfin, on procède à l'interrogatoire de l'accusé.

Mais Pewero, grâce à de généreux cadeaux, auxquels concourent nombre d'objets provenant des tombes, parvient à minimiser l'affaire.

Tant et si bien que, peu de temps après le début de l'enquête, les commissaires informent le vizir que «l'accusation formulée par Peser est une histoire forgée de toutes pièces».

Un rapport très circonstancié

Le rapport suivant, très circonstancié, est remis au vizir :

«1. Le prince-gouverneur de Thèbes-Est, Peser, avait affirmé que le tombeau d'Aménophis 1er, situé au nord du temple d'Aménophis, et profond de 120 aunes, avait été violé par des pillards. Il en avait informé le vizir et administrateur Chamwes, l'écuyer royal Nésamoun, le scribe du pharaon, l'administrateur des biens de la grande prêtresse d'Amon-Râ, l'écuyer royal Néferkeréem-per-Amon, le porte-parole du pharaon et le grand prince lui-même. Nous avons fait une enquête approfondie et nous avons trouvé ce tombeau inviolé.

»2. De même, nous avons trouvé inviolée la pyramide d'Antef l'Ancien, fils de Râ, qui se trouve au nord de l'entrée du temple d'Aménophis; la pyramide elle-même est détruite mais une stèle se dresse devant elle, stèle sur laquelle est représenté le roi avec son chien Behka entre les jambes.

» 3. La pyramide du roi Noubkhéper-Râ, fils de Râ Antef, a été entamée par des pillards. Une ouverture, d'un diamètre de deux aunes, a été trouvée au pied de la pyramide ; un autre trou, d'un diamètre d'une aune, a été découvert par nous à l'entrée du tombeau de Youraï, préposé aux sacrifices du temple d'Amon. Toutefois, les pillards n'avaient pas pénétré à l'intérieur des sépultures.

» 4. De même, nous avons trouvé entamée, mais non violée, la pyramide du roi Sekhem-Râ Wepma't, fils de Râ Antef l'Ancien.

» 5. Par contre, nous avons trouvé ouverte la pyramide du roi Sekhem-Râ Chedtawê, fils de Râ Sébekemsaf ; l'ouverture avait été pratiquée à partir de la salle extérieure du tombeau de Nebamoun, préposé aux greniers du roi Thoutmosis II. La momie du roi avait été volée, ainsi que celle de son épouse Khasnoub. »

« Peser a agi par pure malveillance »

Quant à la conclusion du rapport, elle ne laisse planer aucun doute :

« Le gouverneur de la ville de Thèbes-Est a volontairement porté des accusations inexactes, dépourvues de fondement. Il a dressé une liste de dix tombes de pharaons qui, selon ses dires, auraient été pillées. Or la commission a pu constater que, dans l'ensemble des nécropoles thébaines, une seule tombe royale a été visitée par des voleurs. En outre, pour frapper plus sûrement le gouverneur de la cité occidentale, Peser a communiqué une liste sur laquelle figurent quatre tombes de prêtresses, sans toutefois préciser les noms de ces servantes du dieu. Nous avons pu constater que deux tombes d'adoratrices du dieu – et deux seulement – avaient été pillées. Il est évident que Peser n'a pas dit la vérité et qu'il a agi par pure malveillance. »

Le vizir peut, avec soulagement, classer l'affaire. Pewero est définitivement hors de cause.

Pewero : « Mes amis... prenez ma défense ! »

Dès le lendemain, Pewero, non content d'avoir été innocenté, décide d'organiser en sa faveur une manifestation «spontanée» de la population.

A cet effet, inspecteurs du roi, administrateurs de la nécropole, artisans, agents de police et tous ceux qui, en général, travaillent dans l'enceinte même de la nécropole, sont conviés à une réunion à l'entrée de la nécropole, à proximité du bureau de Pewero.

— Mes amis, explique le surintendant aux manifestants, il faut que mon honneur, souillé par cette infâme accusation, soit lavé de toute tache... Franchissez le Nil! Formez un cortège à travers la ville! Prenez ma défense!

Les manifestants acclament leur chef et l'assurent de leur soutien. Beaucoup d'entre eux savent, bien sûr, que Pewero est un homme vénal et corrompu. Mais ils n'oublient pas qu'ils sont des fonctionnaires: leur avancement dépend de lui. Il faut donc soutenir Pewero!

Alors que le cortège s'ébranle vers le Nil, Pewero lance une dernière recommandation:

— Vous devez passer sous les murs de la demeure de Peser. Vous savez très bien que, poussé par une vieille rancune à mon égard, il est l'instigateur du complot dirigé contre moi. Lorsque vous défilerez sous ses fenêtres faites en sorte que vos cris de protestation lui crèvent les tympans!

«Que les perfides accusateurs de Pewero soient cloués au pilori!»

Conformément aux instructions de Pewero, les manifestants passent sous les murs de la maison de Peser.

Les membres du cortège hurlent:

— Les infâmes accusations lancées contre Pewero ont fait long feu et Pewero a été reconnu innocent!

— Que les perfides accusateurs de Pewero soient cloués au pilori!

— Honneur au directeur de la nécropole de Thèbes, le plus intègre de tous les fonctionnaires! s'exclame même le chef de la police qui, comme chacun le sait, est aussi corrompu que Pewero.

Peser, hors de lui, n'en peut supporter davantage. Il sort de chez lui et injurie, à son tour, le cortège.

– Les choses n'en resteront pas là! hurle-t-il. Je porterai l'affaire devant le roi! C'est Ramsès lui-même, le grand dieu, qui jugera les méfaits de Pewero car mes accusations n'épargneront personne; tous ceux qui se sont rendus coupables de crimes devront en répondre devant la loi!

A la fois juge et partie

Ces paroles sont, bien entendu, immédiatement rapportées à Pewero qui, sans perdre un instant, porte plainte en diffamation. D'accusateur, Peser se mue, dans l'espace d'une journée, en accusé!

Peu de temps après, Peser reçoit une convocation pour comparaître devant un tribunal présidé, bien entendu, par ce même Chamwes dont on connaît les intérêts dans cette affaire.

Celui-ci fait preuve d'un raffinement tout particulier en nommant Peser... juge.

Ainsi Peser est-il contraint de se condamner lui-même en tant que parjure!

Peser va pourtant connaître sa revanche. Trois années plus tard, en effet, survient une affaire qui infirme le jugement rendu contre lui et permet d'établir, cette fois, la culpabilité du gouverneur de la nécropole.

Pewero a facilité les profanations

A cette époque, huit voleurs sont pris en flagrant délit de violation de sépultures à Thèbes, sur la rive occidentale du fleuve.

Le papyrus qui nous conte cette histoire rapporte le nom et la qualité de cinq d'entre eux. Il y a Hapi, le tailleur de pierres; Iramoun, l'artisan; un paysan nommé Amenemheb; un porteur d'eau, Kemwes et, enfin, un esclave noir, Ehenofer.

Chamwes, cette fois, ne préside pas le tribunal. A sa place, siège un juge intègre et désireux de faire toute la lumière.

Afin d'obliger les inculpés à parler, on utilise un fouet spécial qui lacère littéralement les mains et la plante des pieds des accusés.

Ce moyen, infaillible, délie bientôt les langues.

Ainsi découvre-t-on que la bande de voleurs est l'auteur du pillage de l'une des tombes figurant sur la liste de Peser, la tombe du roi Sekhem-Râ Chedtawé et de son épouse.

D'autres aveux permettent d'établir que certains individus proches de Pewero, et sous ses ordres, ont facilité ces profanations en fournissant aux voleurs les informations nécessaires.

« Nous fîmes huit parts du butin »

Au cours des audiences, les voleurs décrivent, avec précision, le pillage de la pyramide du roi Sekhem-Râ Chedtawé et de son épouse, Khasnoub :

« Lorsque nous nous trouvâmes dans le tombeau des dieux, nous ouvrîmes les cellules dans lesquelles les sarcophages étaient disposés ; nous découvrîmes alors la momie de ce noble roi. Autour du cou, elle portait un grand collier constitué par de nombreuses amulettes et des ornements, le tout en or. Son visage était protégé par un masque funéraire en or massif. Les bandelettes de lin, dans lesquelles il avait été enveloppé, étaient richement parées d'or et d'argent sur leurs deux faces. Il y avait aussi des pierres précieuses. Nous nous emparâmes de tout l'or que nous pûmes trouver sur la momie de ce dieu ainsi que des amulettes et des bijoux qu'il portait autour du cou, comme de ceux que l'on avait glissés entre les bandelettes dont son corps était entouré.

» Dans cette tombe, nous découvrîmes également une reine qui était la femme du pharaon. Sa momie était parée comme celle de son époux et nous la dépouillâmes de tout ce qui avait de la valeur. Ensuite, nous fîmes brûler, afin de les réduire en cendres, les bandelettes que nous avions arrachées aux momies du dieu et de la reine. Nous emportâmes également tous les objets funéraires qui avaient été déposés auprès des deux corps ; il y avait des vases en or et en argent ainsi qu'une abondante vaisselle et des bibelots en bronze. Nous fîmes huit parts du butin constitué par l'or, les amulettes, tous les ornements, les bijoux et les étoffes découverts aussi bien sur les momies de ces dieux que dans leur entourage immédiat ; ainsi, chacun d'entre nous fut-il équitablement récompensé pour sa participation à cette expédition. »

De nos jours, un médecin a diagnostiqué à propos des colosses de Karnak qui représentent Akhénaton, le pharaon hérétique : « Leurs visages allongés… le prognathisme très net de leurs mâchoires, leurs lèvres larges et pleines, leurs nez vulgaires, leurs yeux plutôt obliques », l'ampleur des fesses et des cuisses révèlent une féminisation due à un désordre endocrinien. » *Rapho – B. Villaret.*

CHAPITRE III

DES TRAFICS SACRILÈGES

LES procès qui se déroulent ainsi couramment durant la XXᵉ dynastie n'ont pas l'effet escompté. Voleurs et receleurs poursuivent leurs sinistres méfaits.

Le brigandage atteint même une telle importance, durant la XXᵉ dynastie, que certains prêtres et fonctionnaires honnêtes décident de contre-attaquer.

Ramsès II transféré dans le tombeau de Séthi Iᵉʳ

Aux entreprises des groupes organisés de voleurs répondent les méthodes non moins astucieuses des fidèles à la tradition.

Lorsque ces derniers apprennent qu'un nouveau pillage se prépare, une expédition s'organise. Dans la nuit, à la lueur des torches, prêtres et fonctionnaires déménagent leurs chères momies et les transportent dans une autre sépulture.

Ainsi Ramsès II est-il déposé dans le tombeau de son frère Séthi Iᵉʳ, comme nous l'apprend un papyrus conservé au musée du Caire :

« La quatorzième année, le sixième jour du troisième mois de la deuxième saison, l'Osiris, roi Ousimare (Ramsès II) fut transféré afin d'être inhumé à nouveau dans le tombeau de l'Osiris, roi Menmare (Séthi Ier). (Signé) le grand prêtre d'Amon, Pinutem.»

Trente-six momies emmurées
dans une chambre de sept mètres sur sept

D'autres illustres pharaons, tels Ramsès III, Amosis, Aménophis Ier et Thoutmosis II changèrent aussi de lieu de sépulture.

Quarante-neuf momies au total, sont ainsi transportées de tombeau en tombeau. Bientôt, aucune cachette n'est plus sûre, exceptée celle d'Aménophis II. Mais celle-ci, trop étroite, ne peut contenir que treize momies.

Afin d'abriter les trente-six autres dépouilles, les prêtres décident de creuser une excavation à flanc de montagne dans les environs de Deir el-Bahari, près du temple – non achevé – de la sœur de Thoutmosis III.

La pierre de cette montagne, très tendre, permet de creuser un puits de neuf mètres de profondeur, qui débouche sur un couloir menant à une chambre de sept mètres sur sept.

Nuit après nuit, dans le plus grand secret, les prêtres procèdent aux déménagements.

L'endroit est si bien dissimulé que la cachette demeure inconnue durant près de 3000 ans. Seul, le hasard, une fois encore, va permettre sa découverte.

Après tout, on ne sait jamais...

Cela fait déjà de nombreux mois que Ahmed Abd el-Rassoul, un fellah du village de Kourna, a repéré l'existence d'un puits caché dans les rochers qui séparent la Vallée des Rois du ravin de Deir el-Bahari.

Un jour de février 1875, Abd el-Rassoul n'y tient plus. Il faut qu'il sache ce qui se trouve au fond de ce trou!

Il se rend donc chez son frère, Muhammad, et lui demande de l'accompagner dans la soirée jusqu'à Deir el-Bahari.

Alors que le soleil commence à baisser, les deux hommes se mettent en route. Arrivés à un emplacement que rien, apparemment, ne distingue des alentours, Ahmed fait signe à son frère de s'arrêter.

– C'est là, dit Ahmed, en désignant du doigt un petit monticule de pierres disposées au-dessus d'un trou de telle sorte qu'elles en masquent l'existence. Déroule la corde !

Muhammad défait la corde qu'il porte à l'épaule et l'attache autour de la taille de son frère.

Muhammad trouve que son frère a, en descendant dans ce trou, une idée bien saugrenue mais, après tout, on ne sait jamais... Les petits bénéfices qu'il a tirés de la vente de quelques objets provenant de fouilles illégales sont bien maigres et la découverte d'une momie serait si profitable...

Toute une fortune !

Par le jet de quelques pierres, Ahmed évalue la profondeur du puits à dix mètres environ.

Après s'être assuré que la corde est solidement attachée à une très grosse pierre, il se glisse dans le trou.

Onze mètres plus bas, ses pieds touchent le sol. Un long couloir de soixante mètres s'ouvre devant lui et débouche sur un mur de pierres. A l'aide de la pioche qu'il a apportée, Ahmed s'attaque à la pierre. Le mur, épais, tarde à céder.

Tout à coup, la pioche s'abat dans le vide. Un groupe de momies apparaît devant le fellah, terrorisé.

– Tire-moi, hurle-t-il à l'intention de son frère.

Puis, parvenu à l'air libre, il lance :

– J'ai vu des momies... plein de momies !

Après quelques jours d'hésitation, Ahmed se décide à redescendre dans le puits. Il prend le temps, cette fois, d'observer les momies. Elles sont couvertes de bijoux !

Une, deux, trois... Ahmed n'en croit pas ses yeux : trente-six momies ! Et richement parées ! Toute une fortune !

Un vaste marché noir s'organise

Toute une fortune, certes, mais il faut agir prudemment. Les fouilles illégales sont sévèrement punies en Egypte, en ce dernier quart du XIXᵉ siècle.

Ahmed décide donc de réunir le conseil de famille.

Le soir même, les hommes de la famille Rassoul acceptent de participer à l'entreprise, tout en jurant, sur la «barbe du Prophète» de garder le secret.

– Les bijoux doivent être vendus séparément, explique Ahmed. Il ne faut surtout pas attirer les soupçons!

– Nous devons, avant tout, trouver un intermédiaire en qui nous puissions avoir toute confiance, ajoute l'un de ses frères.

– J'y ai déjà songé, reprend Ahmed. Le consul Moustafa Aga Ayat peut être notre homme. J'ai servi chez lui en tant que maître d'hôtel et je suis sûr qu'il nous aidera.

Le consul, qui représente en Haute Egypte les intérêts de la Belgique, de l'Angleterre et de la Russie, possède une réputation d'homme intègre. Il ne refuse pourtant pas d'«aider» Ahmed.

Objet par objet, trésor après trésor, les pièces découvertes à Deir el-Bahari inondent peu à peu le marché de l'égyptologie.

La famille Rassoul nage bientôt dans le luxe et l'opulence.

Naturellement, ce trafic ne passe pas complètement inaperçu. Les autorités égyptiennes se doutent de quelque chose. Gaston Maspéro, directeur du musée du Caire, apprend, de plusieurs sources, la naissance d'un marché noir archéologique. Mais comment déceler les auteurs des fouilles illégales? Comment remonter la filière? Les tentatives faites dans ce sens n'aboutissent à rien.

Ce n'est que six ans plus tard qu'un incident fortuit va permettre aux autorités de découvrir le pot aux roses.

Un papyrus d'une rare beauté
parvient en fraude en Amérique

A la fin du printemps 1881, Gaston Maspéro reçoit une lettre en provenance d'Amérique, qui le réjouit au plus haut point.

L'auteur de la lettre, John Fighter, un spécialiste américain en égyptologie, lui relate une histoire des plus stupéfiantes.

Au début de l'année 1881, un nommé Baton, collectionneur d'antiquités, a acquis, à Louxor, un papyrus en parfait état et fort ancien et l'a rapporté, en fraude, dans son pays.

Désirant connaître la valeur de son achat, Baton a consulté Fighter et appris ainsi qu'il venait d'acquérir un papyrus d'une rare beauté.

Certain, à présent, que personne ne peut lui enlever son trésor, Baton a accepté de raconter à Fighter les circonstances de son achat.

Et Fighter peut faire connaître à Maspéro que la pièce découverte appartenait à un roi de la XXe dynastie, une des dynasties dont les tombes sont, jusqu'à ce jour, demeurées inconnues.

Pour le directeur du musée du Caire, il n'y a plus de doute possible : l'apparition clandestine, ces dernières années d'objets rares et, à présent, de ce papyrus exactement datable prouve qu'un tombeau de la plus haute importance a été clandestinement mis au jour et pillé.

Maspéro, qui connaît en outre le lieu d'origine du papyrus, Louxor, décide de passer à l'action.

Dans une arrière-boutique, le marchand exhibe une statuette de la XXe dynastie

Il charge l'un de ses assistants de se rendre à Louxor pour y mener une enquête.

Dissimulant sa qualité d'archéologue, le jeune homme s'installe dans l'hôtel qu'avait occupé l'Américain Baton quelques mois auparavant.

Jour après jour, le savant achète des objets. Il se fait connaître, se montre généreux. Habitué des marchands d'antiquités, il obtient, peu à peu, leur confiance.

Un jour, un marchand l'attire dans son arrière-boutique, après lui avoir annoncé qu'il va lui présenter une pièce exceptionnelle.

Lorsque le vendeur lui tend la pièce, une statuette, le jeune homme s'efforce de maîtriser son émotion. La statuette est une pièce authentique remontant, sans aucun doute, à la XXe dynastie.

Pour jouer parfaitement son rôle, le jeune assistant marchande avec âpreté :

– Oui, ce n'est pas mal, dit-il en faisant la moue, mais ce n'est pas ce que je cherche. J'aurais souhaité quelque chose de plus important et de plus précieux...

– Je pourrais peut-être te procurer ce que tu cherches, répond l'Arabe. Reviens cet après-midi, veux-tu ?

Ahmed livré aux autorités

Vers quinze heures, le jeune savant revient et se trouve face à face avec un Arabe de haute taille que son marchand lui présente :

– Voici Ahmed Abd el-Rassoul ! Il peut t'obtenir les objets que tu recherches !

Dans les jours qui suivent, Abd el-Rassoul et le jeune savant se rencontrent à diverses reprises. Ahmed montre divers objets, tous plus précieux les uns que les autres et provenant de sépultures de la XIXe et de la XXe dynastie, ainsi qu'une momie de la XXIe dynastie.

Persuadé qu'il a démasqué le pillard, le jeune savant livre Ahmed aux autorités judiciaires, mentionne le nom du consul et s'en va rédiger un compte rendu pour la presse.

Relâchés faute de preuves

Mais le jeune savant s'est un peu trop pressé.

Le consul bénéficie de l'immunité diplomatique ; quant à Ahmed, en dépit de la bastonnade qui lui est infligée, il refuse d'avouer.

Et le jour où Ahmed Abd el-Rassoul et quelques membres de sa famille comparaissent devant le *moudir* (juge) de Kéneh, Da'oud Pacha, tout le village de Kourna défile pour les défendre :

– Abd el-Rassoul et sa famille sont honorables, *moudir*, disent les uns.

– Sa famille est la plus ancienne, disent les autres.

– La plus vénérée de la commune, ajoutent certains.

Finalement, faute de preuves, Ahmed et ses complices sont relâchés.

L'assistant de Maspéro est désespéré. Il décide de se rendre chez le *moudir*.

– C'est impossible, explique-t-il au juge. Ahmed est coupable, c'est sûr. Ne m'a-t-il pas proposé des objets d'une valeur inestimable ?

– Sois patient, étranger, réplique Da'oud Pacha. Attends quelques jours, je suis bien sûr que nous parviendrons à l'inculper.

Une véritable tradition locale

Le jeune savant accepte de s'armer de patience, non sans réclamer le soutien des autorités du Caire.

Au début de juillet, le jeune savant apprend que l'un des parents d'Ahmed vient d'avouer.

Outre le rôle joué par la famille Rassoul, on découvre que tout le village de Kourna s'est compromis dans les affaires de fouilles illégales, et cela depuis le XIIIᵉ siècle ! Une véritable tradition locale !

Emile Brugsch Bey, frère de l'archéologue Heinrich Brugsch et sous-directeur du musée du Caire, remplace alors Maspéro, absent du Caire.

Brugsch Bey rend immédiatement visite au *moudir*. Tous deux décident de prendre, au plus vite, des mesures pour mettre à l'abri ce qui reste en place du contenu de la nécropole pillée.

Il fallait avancer en rampant, sans savoir où l'on mettait les mains et les pieds

C'est ainsi que, le 5 juillet 1881, au matin, Abd el-Rassoul guide les délégués du musée du Caire jusqu'au puits de Deir el-Bahari.

La veille, Abd el-Rassoul a remis dans les mains de Brugsch un paquet contenant quatre splendides canopes de la reine Ahmes Nejertori et trois rouleaux de papyrus provenant des tombes d'autres reines.

A grand effort, Brugsch Bey parvient à descendre au fond du puits. Le spectacle qui s'offre alors à ses yeux est absolument fascinant.

Voici le récit que fait Gaston Maspéro lui-même de cette extraordinaire découverte, dans le *Bulletin de l'Institut égyptien* (novembre 1881): «Le premier objet qui frappa les yeux de M. Emile Brugsch, quand il arriva au fond du puits, fut un cercueil blanc et jaune au nom de Nibsonou. Il était dans le couloir, à 0,60 mètre environ de l'entrée; un peu plus loin, apparaissaient un cercueil dont la forme rappelait le style de la XVIIe dynastie, puis celui de la reine Tiouhathor Honttooouï, puis celui de Séthi Ier. A côté des cercueils et jonchant le sol, des boîtes à statuettes funéraires, des canopes, des vases à libation en bronze et, tout au fond, dans l'angle que forme le couloir en se redressant vers le nord, la tente funèbre de la reine Isimkheb, pliée et chiffonnée, comme un objet sans valeur qu'un prêtre trop pressé de sortir aurait jeté négligemment dans un coin. Le long du grand couloir, même encombrement et même désordre; il fallait s'avancer en rampant, sans savoir où l'on mettait les mains et les pieds. Les cercueils et les momies, entrevus rapidement à la lueur d'une bougie, portaient des noms historiques: Aménophis Ier, Thoutmos II, dans la niche près de l'escalier, Ahmos Ier et son fils Siamoun, Soqnounri, la reine Ahhotpou, Ahmos Nofritari et d'autres. Dans la chambre du fond, le pêle-mêle était au comble mais on reconnaissait à première vue la prédominance du style propre à la XXe dynastie.»

Tomber à l'improviste en pareille assemblée!

«Le rapport de Ahmed Abd el-Rassoul, poursuit Gaston Maspéro, qui paraissait exagéré au début, n'était guère que l'expression atténuée de la vérité: où je m'étais attendu à rencontrer un ou deux roitelets obscurs, les Arabes avaient déterré un plein hypogée de Pharaons. Et quels Pharaons! Les plus illustres peut-être de l'histoire d'Egypte, Thoutmos III et Séthi Ier, Ahmos le libérateur et Ramsès II le conquérant. M. Emile Brugsch crut être le jouet d'un rêve de tomber à l'improviste en pareille assemblée, et je suis encore à me demander, comme lui, si vraiment je ne rêve point, quand je vois et touche ce qui fut le corps de tant de personnages dont on croyait ne devoir jamais connaître que les noms.

Une tâche à moitié terminée

» Deux heures suffirent à ce premier examen, puis le travail d'enlèvement commença. Trois cents Arabes furent vite rassemblés par les soins des gens du *moudir*, et se mirent à l'œuvre. Le bateau du musée, mandé en hâte, n'était pas encore là ; mais on avait sous la main l'un des pilotes, reis Mohammed, sur lequel on pouvait compter. Il descendit au fond du puits et se chargea d'en extraire le contenu. MM. Emile Brugsch et Ahmed Effendi Kamal recevaient les objets au fur et à mesure qu'ils sortaient de terre, les transportaient au pied de la colline et les rangeaient côte à côte, sans ralentir un instant leur surveillance. Quarante-huit heures d'un labeur énergique suffirent à tout exhumer ; mais la tâche n'était qu'à moitié terminée. Il fallait mener le convoi à travers la plaine de Thèbes au-delà de la rivière, jusqu'à Louxor ; plusieurs des cercueils, soulevés à grand-peine par douze ou seize hommes, mirent de sept à huit heures pour aller de la montagne à la rive[1], et l'on se figurera aisément ce que dut être ce voyage par la poussière et la chaleur de juillet. »

Maspéro faillit nommer Ahmed... chef des fouilles à Thèbes !

Le 11 juillet au soir, momies et cercueils sont mis en sûreté à Louxor, dûment enveloppés de nattes et de toiles.

Trois jours plus tard, la direction du musée du Caire dépêche sur les lieux le bateau qui transporte ce précieux chargement jusqu'à la capitale.

Lors de ce dernier trajet, les délégués du musée assistent à une étrange scène. De Louxor jusqu'au Caire, des femmes échevelées, amassées sur les deux rives du Nil, suivent le bateau en poussant de longs gémissements, dans la meilleure tradition des pleureuses antiques ; des hommes tirent des coups de fusil comme ils le font lors des funérailles.

Quant à Ahmed Abd el-Rassoul, il touche cinq cents livres sterling

---

1.   C'est-à-dire des hauteurs de Deir el-Beida au Nil. Il restait encore à franchir le fleuve et à atteindre Louxor, sur la rive opposée.

pour sa contribution, quelque peu forcée il faut le dire, à l'enrichissement du musée du Caire. Gaston Maspéro pense même un moment le nommer chef des fouilles à Thèbes (Karnak). « S'il met à servir le musée la même adresse qu'il a mise à le desservir, se dit alors Maspéro, nous pouvons espérer encore quelques découvertes. »

Les momies en sûreté au Caire et Ahmed ayant fait amende honorable, chacun pense que l'affaire est classée et que, désormais, les Rassoul ne feront plus parler d'eux.

Or, moins de dix-sept ans plus tard, une enquête menée avec perspicacité par un Anglais va prouver que les Rassoul continuent leurs fructueux pillages !

Des pillards dépouillent la momie d'Aménophis II de ses bijoux

En 1898, en effet, Victor Loret, un archéologue français, parvient à mettre au jour les treize autres momies que les prêtres de la XXᵉ dynastie avaient cachées dans le tombeau d'Aménophis II.

Ces momies, en parfait état de conservation, sont aussitôt transportées au Caire, excepté la momie d'Aménophis II elle-même.

Afin de se prémunir contre d'éventuels pillards, Loret place deux gardiens armés à l'entrée du mausolée.

Cette sage précaution se révèle bien vite insuffisante.

Le 24 novembre 1901, un groupe de pillards attaque les gardiens, pénètre dans le sépulcre, dépouille la momie de ses amulettes et de ses bijoux et s'empare également d'un bateau sculpté.

Howard Carter, alors inspecteur de l'administration des Antiquités à Louxor, est chargé de mener l'enquête.

Les enfants d'Ahmed n'ont pas rompu avec la tradition !

Carter décide de relever les empreintes de pieds laissées dans le tombeau par les violateurs et d'utiliser des indicateurs.

Une fois encore, la piste conduit les enquêteurs au village de Kourna et, plus précisément, à la maison de la famille Rassoul !

Les enfants d'Ahmed n'ont pas rompu avec la tradition.

L'enquête de Carter permet également de déterminer que les deux gardiens se sont laissés acheter.

Le procès a lieu quelque temps après. Tout Louxor est présent. Carter ne peut s'empêcher d'éprouver un sentiment de malaise lorsqu'il entend les témoignages.

Tout comme vingt ans plus tôt, de faux témoins, soudoyés par les Rassoul, jurent sur le Coran que cette famille n'a rien à voir avec cette histoire.

– Comment osez-vous calomnier de si braves gens! s'exclame l'un de ces faux témoins. Ce sont d'honnêtes travailleurs qui gagnent leur vie à la sueur de leur front et qui sont incapables de commettre un pareil forfait!

Les coupables sont à nouveau acquittés, tandis que Carter est nommé par l'administration à cinq cents kilomètres de là, à Sakkara!

5000 tombeaux mis à sac

Les années ayant passé, on est tenté de croire que la race des pilleurs de sépultures est aujourd'hui éteinte, faute de tombeaux à piller.

En tout cas, les grandes bandes de voleurs n'ont plus de raison d'être, affirme-t-on avec conviction.

Cependant, en février 1973, éclate un scandale qui contredit ces certitudes.

Les journaux annoncent, en effet, qu'une bande de pillards a mis à sac près de 5000 tombeaux de l'époque pharaonique!

Et ce scandale, le plus important jamais découvert depuis l'affaire Rassoul, plonge le petit monde de l'égyptologie dans le plus profond embarras.

Un terrain inépuisable

L'affaire débute, en fait, quelque sept mois plus tôt.

Un jeune employé de la fabrique de coton située près de la localité de Beni Suef, à 120 kilomètres au sud du Caire, découvre en se promenant une tombe ancienne. Celle-ci contient quelques objets, amulettes et autres, que l'Arabe s'empresse de récupérer.

De retour chez lui, l'ouvrier se met à échafauder un plan. Il a entendu dire que les anciens groupaient leurs sépultures.

– Pourquoi n'y en aurait-il pas d'autres? expose-t-il à sa femme qui l'écoute, perplexe.

Dès le lendemain, après son travail, il se rend donc à nouveau près de la première tombe et commence à creuser. Chaque soir, il revient armé d'une pelle et d'une pioche, et creuse.

En quelques semaines, toute une série de sépultures sont ainsi dégagées. Le terrain semble inépuisable.

L'ouvrier, conscient que, seul, il ne peut venir à bout de l'ouvrage, décide de mettre quelques-uns de ses collègues dans le secret.

– J'ai découvert une véritable mine, leur dit-il. Il y en a pour tout le monde! Je suis sûr qu'il existe, dans ce coin, des dizaines, des centaines de tombes pleines d'objets précieux. A nous de creuser et de récupérer ces trésors.

Plus ils creusent, plus ils dégagent de tombes!

Les jours qui suivent, donc, un groupe d'ouvriers de la fabrique de coton de Beni Suef prend la route du Djébel Abou Seïr, pelles sur l'épaule.

Chaque soir, les pillards rapportent chez eux des sacs pleins de trésors. Plus ils creusent, plus ils dégagent de tombes!

L'importance de l'affaire devient telle que les hommes décident de quitter leur emploi et de se consacrer entièrement aux fouilles.

Craignant d'être découverts par la police, les pillards installent, autour de la zone de fouilles, plusieurs postes de garde. Mais l'ampleur de la tâche les contraint à recruter de la main-d'œuvre. Ce recrutement est d'abord discret; chacun embauche des parents ou des amis en les invitant à garder le secret. Puis, comme la police ne semble pas se manifester et que les fouilles se déroulent sans encombre, on abandonne peu à peu les mesures de sécurité. Les gardes préposés initialement à la surveillance quittent leurs postes pour creuser, eux aussi; le recrutement s'élargit, au point que toute personne qui se présente est immédiatement embauchée.

Les fouilles se révèlent fructueuses. Jour et nuit, les ouvriers arrachent aux innombrables tombeaux éventrés amulettes, bijoux, objets en or et en argent.

Les résultats dépassent toutes leurs espérances.

Une course folle au trésor

Petit à petit, les ouvriers délaissent les gourbis qui étaient leurs demeures et s'installent dans des maisons de pierre. Certains achètent du mobilier, des appareils ménagers, des voitures. La localité de Béni Suef prend un essor imprévu.

Personne, apparemment, ne semble s'étonner ou s'émouvoir de cette incroyable métamorphose. Les quelques agents de police stationnés à Béni Suef sont très rapidement associés aux bénéfices. Ravis d'arrondir leurs fins de mois, ils s'abstiennent d'intervenir.

La manne miraculeuse qui s'abat sur la modeste localité n'oublie aucun habitant.

Tous sont mêlés, de près ou de loin, à l'heureux événement. Tous travaillent, unis par la même soif de l'or.

Il est entendu que chaque chercheur garde pour lui le fruit de ses trouvailles. Aussi chacun travaille-t-il avec ardeur.

Hommes, femmes, enfants creusent la terre. S'ouvre une course folle au trésor: chacun cherche à surpasser le voisin.

Un million de livres sterling caché dans une jarre !

Mais, au début de février 1973, deux ouvriers déclarent avoir trouvé une momie de pharaon.

Cette découverte provoque de terribles querelles parmi les pilleurs de Béni Suef. Conscients de la valeur considérable de la momie, certains veulent obliger les deux hommes à partager le butin, cette fois, avec le reste de la collectivité.

– Bien sûr, leur disent-ils, chacun de nous a conservé jusqu'à maintenant le fruit de ses découvertes. Mais votre trouvaille est la pièce essentielle de la nécropole et vaut plus cher que tout le reste. Vous devez donc, exceptionnellement, associer tout le monde aux bénéfices.

Les deux ouvriers ne l'entendent pas ainsi. Ils protestent violemment.

– Nous étions d'accord pour que chacun conserve le fruit de son travail. La chance que nous avons ne justifie pas que cet accord fondamental soit annulé. Ce serait par trop injuste !

Le «syndicat» des pilleurs, majoritairement gagné à la soif de l'or des réclamants, décide bientôt d'exclure les deux ouvriers décidément trop chanceux.

Mais les deux hommes, forts de leur droit, entendent bien récupérer, coûte que coûte, leur momie.

Le lendemain soir, à la tombée de la nuit, ils s'introduisent dans le plus grand secret à l'intérieur du camp, afin de procéder à la récupération.

Ils sont démasqués. Des tirs éclatent; plusieurs hommes sont blessés. Cette fois, les policiers sont obligés d'intervenir.

Peu après, les responsables des fouilles officielles sont alertés à leur tour. D'imposantes forces de police cernent le village de Béni Suef. Après d'interminables interrogatoires, les principaux pillards sont démasqués et arrêtés. Chez l'un d'eux, on découvre, dans une énorme jarre enterrée sous la cour de sa maison, une somme fantastique : un million de livres sterling. C'était le chef du «syndicat» !

CINQUIÈME PARTIE

LA DÉCOUVERTE ARCHÉOLOGIQUE
LA PLUS FABULEUSE
DE TOUS LES TEMPS

*«Je crois (...) que nous ne souhaitions même pas
rompre les scellés, car dès l'instant où nous avions
commencé à ouvrir le coffre nous nous sentions
des intrus... Dans notre imagination, nous voyions
déjà s'ouvrir les unes après les autres les portes
des coffres successifs, emboîtés les uns dans
les autres, jusqu'à ce qu'enfin le dernier de ces coffres
nous dévoilât le corps de Toutankhamon...»*
Howard Carter

Les grands prêtres d'Amon mettaient en péril le pouvoir pharaonique.
Aménophis IV (XVIIe dynastie, − 1372 − 1354), encouragé par son
épouse Néfertiti, remplace le culte d'Amon par celui d'Aton. Lui-
même prend le nom d'Akhénaton («serviteur d'Aton»). Le globe solaire
était la seule représentation autorisée du dieu Aton. Il réserve ici au
roi et à la reine les rayons dont les mains tiennent les signes de vie
ankh à la hauteur des visages. Musée du Caire. *Editions Arthaud.*

UN ARCHÉOLOGUE OPINIÂTRE :
HOWARD CARTER

L'ÉGYPTOLOGIE, écrit le général anglais Tomkyns Hilgrove Turner, n'est pas une science, c'est surtout une passion qui saisit ceux qui s'y adonnent avec une force telle qu'ils abandonnent tout pour s'y consacrer.

Tel est le cas de l'avocat américain Theodore Davis. En 1902, il quitte les Etats-Unis et entreprend, durant douze années, de vastes fouilles dans la Vallée des Rois, l'immense nécropole royale qui s'étend sur la rive gauche du Nil, en face de Thèbes.

Davis voit ses efforts bien souvent couronnés de succès. En douze ans, il découvre les tombes de Thoutmosis IV, de Horemheb, de Spitah, de la reine Hatshepsout, enfin le tombeau «conjugal» du prêtre Jua et de sa femme Tua qui offre la particularité d'être inviolé et contient des momies dans un état de conservation presque parfait.

Afin de l'aider dans ses travaux de recherche, Davis engage un jeune archéologue anglais, Howard Carter.

Carter, qui a déjà travaillé aux côtés de Flinders Petrie, est en Egypte depuis 1890. Durant sept années, Carter, alors administrateur du département des Antiquités, assiste Davis dans ses fouilles.

Une découverte apparemment insignifiante

En 1908, Davis et Carter font une découverte à laquelle ils n'attachent que peu d'importance.

Au cours de l'une de leurs fouilles, ils trouvent dans une cachette des pots de poix qui contiennent des bandelettes et autres menus objets.

Ces objets sont expédiés, à tout hasard, à sir Herbert Winlock, du *Metropolitan Museum* de New York.

Quelque temps plus tard, un courrier annonce aux deux archéologues que le sceau du roi Toutankhamon a été relevé sur un gobelet de terre vernissée bleue.

Davis, qui estime que la Vallée des Rois est «archéologiquement épuisée», ne s'attarde pas sur cette nouvelle.

Carter, lui, forme le secret espoir de retrouver un jour le tombeau de ce roi.

Comment retrouver la tombe de Toutankhamon?

L'année suivante, une autre découverte vient confirmer l'intuition de Carter.

Dans une chambre souterraine située au nord de la tombe d'Horemheb, les fouilleurs mettent au jour un coffret de bois contenant diverses feuilles d'or et décoré de peintures où l'on voit nettement la silhouette de Toutankhamon et celle de sa femme Ankhsenamon.

Quelques semaines plus tard, Carter retrouve plusieurs poteries ornées du sceau de Toutankhamon, ainsi qu'un récipient enveloppé dans un tissu portant la date: an 6 de Toutankhamon.

En dépit de ces découvertes, Davis continue de soutenir que la Vallée des Rois n'a plus rien à livrer. Il n'est du reste pas le seul à penser de la sorte. Gaston Maspéro, alors directeur du musée du Caire, bien que son opinion soit plus nuancée, n'en affirme pas moins que la tombe de Toutankhamon a été très probablement saccagée par Horemheb, le vrai successeur de Toutankhamon sur le trône d'Egypte, après le bref et inconsistant interrègne du vieil Ay.

Cependant, le jeune Carter ne s'avoue pas vaincu. Il est persuadé

que la tombe du jeune souverain de la XVIIIe dynastie se trouve bel
et bien quelque part dans la Vallée des Rois, intacte et inviolée. Mais
comment la retrouver?

Première rencontre Carter-Carnarvon

Le hasard, comme il arrive souvent en matière d'archéologie, va
servir le rêve de Carter.

Peu avant la Première Guerre mondiale, Maspéro invite le jeune
archéologue anglais à venir le voir:

– J'ai reçu ces jours-ci la visite d'un lord, explique Maspéro. Lord
Carnarvon – c'est son nom – est venu en Egypte poursuivre une
convalescence jugée indispensable après un très grave accident de
voiture. Cet homme, en l'occurrence fort riche, souhaite entreprendre
des fouilles personnelles, mais ses connaissances en archéologie sont
limitées. Il veut obtenir l'assistance d'un spécialiste tel que vous.
Seriez-vous d'accord?

Carter accepte avec empressement. Quelques jours plus tard, il
fait la connaissance de lord Carnarvon.

Lord Carnarvon, sportif et amateur d'art

Dès les premiers instants, Carter est séduit par l'étonnante personnalité du lord.

– Depuis mon adolescence, raconte celui-ci, je m'intéresse aux
arts. Je suis un grand collectionneur de dessins et gravures anciens...

– Avez-vous fait des études en ce sens? interroge Carter.

– Non, pas du tout, répond Carnarvon. Après des études primaires
effectuées avec un professeur privé, ma famille, très traditionnelle-
ment, m'a envoyé au collège d'Eton puis au Trinity College de
Cambridge. Lorsque mon père est décédé, j'avais vingt-trois ans.
Grâce à l'héritage qu'il m'a légué, j'ai mené une vie un peu folle.
J'ai fréquenté les champs de courses, j'ai participé à des concours
de tir, à une course en voilier autour du monde. Et puis, un jour, j'ai
découvert l'automobile. Mon permis de conduire est le troisième qui

ait été délivré en Grande-Bretagne! Or, un jour que je me rendais dans ma famille, ma voiture a dérapé et j'ai été grièvement blessé. Mes médecins m'ont conseillé une convalescence dans le sud. J'ai alors choisi l'Egypte. Je suis ici depuis 1903 et j'ai découvert, en suivant quelques missions archéologiques, un métier qui, me semble-t-il, saurait allier mon goût du sport et mon désir de m'intéresser consciencieusement aux arts.

Le contact entre les deux hommes se révèle excellent. Durant les premiers mois, lord Carnarvon devient l'élève appliqué du jeune Carter, dont il commandite, en quelque sorte, les travaux.

Carter et Carnarvon prennent la relève de Davis

Lorsqu'éclate la Première Guerre mondiale, Davis rentre aux Etats-Unis et abandonne la concession qu'il détient sur la Vallée des Rois. Carnarvon et Carter décident aussitôt de l'acquérir.

Maspéro, en sa qualité de responsable suprême des Antiquités égyptiennes, signe la concession, mais ne peut s'empêcher de réaffirmer que l'entreprise à laquelle se risquent les deux chercheurs est des plus hasardeuses.

– Vous courez après une chimère, leur dit-il. La tombe de Toutankhamon a sûrement été détruite et pillée.

– Nous verrons bien, répond l'opiniâtre Carter.

Pour des raisons d'ordre technique, les travaux ne débutent effectivement qu'à l'automne 1917. Et comme il n'existe aucun relevé topographique de la Vallée des Rois, c'est au jugé que Carter propose un endroit où faire débuter les fouilles. Cet espace, en forme de triangle délimité par les tombeaux de Ramsès II, de Meren-Ptah et de Ramsès VI, est dégagé avec minutie.

Des années de fouilles sans résultats

Des centaines de fellahs participent aux fouilles, déblayant de gigantesques masses de sable et de pierres.

Au cours de l'année 1919, au pied du tombeau ouvert de

Ramsès VI, les chercheurs mettent au jour plusieurs cabanes d'ouvriers bâties sur des blocs de silex.

– Je suis sûr que la tombe de Toutankhamon se trouve très près de ces cabanes, confie Carter à lord Carnarvon. Ces cabanes ont dû être celles des ouvriers chargés de camoufler la sépulture royale.

Puis, durant l'hiver, quelques objets funéraires sont découverts dans une cachette située à l'entrée du tombeau de Ramsès VI. Cependant, afin de ne pas empêcher la visite du tombeau de Ramsès par les touristes, les deux archéologues suspendent provisoirement leurs fouilles à cet emplacement.

Les travaux se poursuivent donc, durant deux ans, dans une petite vallée adjacente, autour du tombeau de Thoutmosis III, là aussi, sans grand succès.

Nous sommes alors en 1922. Les années se sont écoulées sans qu'aucune découverte importante n'ait été faite et les finances s'épuisent peu à peu.

Un seul endroit demeure toutefois inexploré, celui où se trouvent les cabanes d'ouvriers, au pied du tombeau de Ramsès VI.

Les deux hommes se concertent. Est-il raisonnable de consacrer à nouveau du temps et le peu d'argent qui reste à cette zone? Ne vaut-il pas mieux en explorer une autre?

Le dernier sursis

Carter et Carnarvon, après maintes hésitations, décident de consacrer encore un hiver à leur entreprise.

Le premier novembre 1922, Carter et une équipe d'ouvriers se mettent à l'ouvrage. Un fossé est tracé depuis l'angle nord-est du tombeau de Ramsès VI vers le sud; il traverse ainsi, en droite ligne les fondations de silex des cabanes d'ouvriers.

Deux jours plus tard, après avoir fait dégager suffisamment de cabanes, Carter entreprend les recherches proprement dites de déblaiement et de prospection.

Lorsqu'il revient sur le chantier, le lendemain matin, un silence inhabituel l'accueille. Tous les ouvriers se sont regroupés et ont cessé le travail.

Les premières marches d'un escalier

– Que se passe-t-il? interroge Carter. Pourquoi avez-vous cessé le travail?

– On a découvert une tranchée creusée dans le rocher, répond Ahmed Gourgar, le contremaître.

– Dans le sous-sol de la première cabane, précise un ouvrier.

Carter n'ose y croire! Auraient-ils enfin trouvé la tombe tant convoitée? S'approchant du lieu de la découverte, il distingue un passage creusé dans le rocher, à quatre mètres environ de l'entrée de la tombe de Ramsès VI.

Le 5 novembre dans la soirée, tous les décombres qui masquaient la tranchée sont déblayés, laissant apparaître les premières marches d'un escalier.

Cet escalier doit mener, sans aucun doute possible, à un tombeau. Est-ce vraiment le tombeau de Toutankhamon et ce tombeau est-il encore intact ou a-t-il été déjà pillé?

CHAPITRE II

CACHETTE OU TOMBEAU ?

L A tranchée mise au jour par Carter s'enfonce sous la roche et aboutit à un corridor de trois mètres de haut sur un mètre quatre-vingts de large.

Alors que les ouvriers dégagent la douzième marche qui pénètre plus avant vers l'ouest, ils découvrent une porte scellée. Anxieux de reconnaître les sceaux, Carter s'approche de la porte et gratte la terre qui la recouvre encore avec le plat de la main. Un chacal et neuf captifs surgissent devant ses yeux. Ce sont les sceaux des plus célèbres nécropoles royales !

Impatient de savoir ce qui se trouve derrière la porte, Carter pratique un trou sous un linteau de bois massif et découvre un corridor empli de pierres.

Carter à Carnarvon : « Avons fait merveilleuse découverte »

Refoulant son désir très vif de poursuivre les fouilles, Carter fait recouvrir de terre les escaliers. « N'importe quoi, écrit-il [1], littérale-

---

1. H. Carter et A. C. Mace, *La tombe de Toutankhamon*, Cassel, 1927.

ment n'importe quoi pouvait se trouver derrière ce vestibule et il m'a fallu faire appel à tout l'empire que j'ai sur moi pour m'empêcher de forcer la porte et d'aller y voir sur-le-champ.»

Carter, en effet, a décidé d'attendre le retour de lord Carnarvon qui se trouve alors en Angleterre. Le lendemain 6 novembre, il lui télégraphie à Londres: «Avons fait enfin merveilleuse découverte dans la Vallée, splendide tombeau, sceau intact. Avons refermé chantier jusqu'à votre arrivée. Félicitations.»

Dès le 7 novembre, la nouvelle de la découverte fait le tour du monde et s'étale sur plusieurs colonnes, en première page des journaux. Les compliments mais aussi les demandes de renseignements et les offres d'assistance affluent sur le bureau de Carter, tout étonné d'une telle publicité.

Afin d'étoffer l'équipe de fouilles, Carter prend contact avec Callender, un jeune archéologue avec qui il a déjà travaillé et lui demande de le rejoindre.

Le 8 novembre, Callender est aux côtés de Carter. Tous deux attendent avec impatience l'arrivée de lord Carnarvon qui leur adresse, ce même jour, deux télégrammes: «Arrivé bientôt», puis «Serai Alexandrie le 20».

Les scellés sont rompus

Durant plus de quinze jours, Callender et Carter, dévorés par la curiosité, sont contraints de patienter.

Enfin, le 23 novembre, lord Carnarvon accompagné de sa fille, lady Evelyn Herbert, arrivent à la Vallée des Rois.

Dans l'après-midi du 24, les ouvriers dégagent à nouveau l'escalier. Avec la seizième marche réapparaît la porte. Carter, cette fois, parvient, grâce à la lumière du jour qui est plus vive que la fois précédente, à déchiffrer dans la partie inférieure de la porte un nom: celui de Toutankhamon!

Son intuition ne l'a pas trompé!

Au comble de l'excitation, les savants poursuivent l'examen de la porte. Leur seconde découverte, hélas, tempère leur enthousiasme. Une partie de la porte a été manifestement enlevé, puis remise en place, à plusieurs reprises.

Ainsi donc, le tombeau a été violé. La question est à présent de savoir dans quelle mesure il le fut et, pour le savoir, il faut pénétrer à l'intérieur.

Le lendemain, les scellés sont rompus. Avant cela, ils ont été relevés et photographiés. Afin de protéger l'entrée, Callender fait exécuter une grille de bois pour remplacer la porte abattue.

Le moment de vérité

Les nerfs des savants, déjà fortement ébranlés lors des précédentes découvertes, subissent à nouveau une rude épreuve: dans les débris qui recouvrent le long corridor de sept mètres soixante, les savants trouvent divers objets portant le nom de Toutankhamon, mais également ceux d'Akhénaton, Sakérès, ainsi que deux scarabées aux noms de Thoutmosis III et d'Aménophis III.

S'agirait-il alors d'une simple cachette et non pas du sépulcre personnel de Toutankhamon?

Le jour suivant, le 26 novembre au milieu de l'après-midi, derrière des débris, surgit une seconde porte scellée au nom de Toutankhamon. Mais, là encore, les traces du passage des brigands ne font aucun doute.

Lentement, avec mille précautions, les derniers gravats qui encombrent la seconde porte sont, à leur tour, déblayés.

Cette fois le moment de vérité est arrivé...

«C'est merveilleux!» s'exclame Carter

Pour découvrir rapidement ce qui se trouve derrière la porte, Carter pratique une petite ouverture en haut et à gauche et introduit à l'intérieur une tige en fer... Aucune résistance ne lui est opposée.

Il glisse ensuite plusieurs bougies par ce même orifice afin de déterminer la présence éventuelle de gaz nocifs... Aucune réaction chimique ne se produit.

Carter élargit alors la brèche, éclaire l'intérieur, puis plonge son regard dans la cavité.

Lord Carnarvon et sa fille ainsi que Callender et les autres assistants se rapprochent de lui : «D'abord, je ne distinguai rien, rapporte Carter, car le courant d'air chaud faisait vaciller la bougie, puis mes yeux s'accoutumèrent à la lumière et lentement les objets qui étaient dans la chambre sortirent de l'ombre ; il y avait des animaux étranges, des statues et de l'or, partout de l'or resplendissant. Pendant un moment, qui parut à mes compagnons une éternité, je demeurai muet, paralysé par l'émerveillement. Quand lord Carnarvon, incapable d'attendre plus longtemps, me demanda anxieusement : «Voyez-vous quelque chose?» je ne pus que balbutier : «Oui, c'est merveilleux!» Alors, élargissant encore l'ouverture afin de voir ensemble, nous y glissâmes une torche électrique...»

«L'effet était stupéfiant, écrasant»

La pièce, ainsi éclairée pour la première fois depuis plus de trois mille ans, mesure huit mètres sur trois mètres soixante.

Archéologues et assistants sont littéralement pétrifiés par le spectacle qui s'offre à eux. En face, adossés au mur, trois grands sièges en or attirent tout d'abord leurs regards. Puis, sur la droite, deux statues de gardiens noirs, grandeur naturelle, se font face. Toutes deux portent sur le front le cobra sacré et tutélaire.

Sur le sol, règne un désordre indescriptible où se mêlent coffrets, vases d'albâtre, bouquets de fleurs séchées, mobilier, chariots et portraits du roi.

«Qu'on imagine ce que cela fut pour nous qui regardions par ce trou de la porte fermée, en tournant le rayon de la torche d'objet en objet, poursuit Carter (...) Il nous était impossible d'évaluer le trésor qui se trouvait devant nous. L'effet était stupéfiant, écrasant. Nous n'avions jamais précisé dans notre esprit ce que nous attendions, ou espérions voir ; mais certainement nous n'avions jamais rêvé rien de semblable. C'était un vrai musée, une pièce meublée d'objets les plus divers, les uns familiers, d'autres que l'on n'avait jamais vus, entassés les uns sur les autres, dans une profusion apparemment infinie.»

Une constatation cependant les désole : il n'y a ni sarcophage, ni momie.

Soudain, le jet de lumière découvre une troisième porte scellée, entre les deux sentinelles.

Qu'y a-t-il derrière cette porte ?

Soudain, l'un des savants pousse un cri...

Le lendemain matin, après avoir passé une nuit blanche à se poser une fois encore mille questions sur la nature de la découverte – cachette ou tombeau ? – le groupe de savants est à nouveau à pied d'œuvre.

Callender perfectionne l'éclairage en posant des câbles reliant le chantier à la centrale électrique de la Vallée, tandis que Carnarvon et Carter relèvent les sceaux sur la seconde porte et en dégagent la fermeture.

Enfin, vers midi, la seconde porte est déblayée. Les uns après les autres, ils pénètrent avec précaution dans l'antichambre. Près du seuil, une coupe contenant le mortier qui a servi à murer la porte masque en partie une guirlande de fleurs déposée en signe d'adieu au pharaon. Au mur, des traces de doigts sont encore visibles sur les peintures.

Soudain l'un des savants, qui s'est baissé pour regarder par curiosité sous les trois sièges en or situés au fond de la salle, pousse un cri :

– Un trou !... Il y a un trou !

L'un des auxiliaires apporte immédiatement une lampe et l'approche de l'ouverture. Une seconde pièce, plus petite que l'antichambre, émerge alors de la pénombre.

Son contenu paraît encore plus hétéroclite que celui de la première pièce. Tout est en désordre, certains objets sont brisés. Les voleurs auraient-ils été surpris et obligés de fuir sans rien emporter avec eux ?

Un examen plus minutieux de la troisième porte scellée semble confirmer cette hypothèse. Une ouverture également scellée (probablement par l'administrateur de la Cité des Morts qui a surpris les pillards) est nettement visible au niveau du sol. Aucun doute n'est possible : les voleurs sont également passés par là.

Toutankhamon avait abandonné l'hérésie de son prédécesseur Akhénaton pour revenir au culte d'Amon. On voit la représentation de ce
dernier protégeant le jeune pharaon. Louvre. *Bulloz.*

CHAPITRE III

UNE MURAILLE D'OR

BIEN que dévorés par l'envie d'abattre la troisième porte scellée, afin de s'assurer de l'ampleur du larcin, Carnarvon et Carter décident de ne pas se précipiter.

Mieux vaut, dans un premier temps, déblayer avec minutie l'antichambre et la petite pièce attenante.

Les contenus de ces deux chambres doivent à eux seuls, apporter des renseignements inappréciables sur la civilisation égyptienne.

Une vaste coopération internationale

Cette opération de déblaiement est conduite par les deux savants avec diligence et efficacité.

Carter et Carnarvon mettent en place un atelier de photographie dans la réserve de la reine Tiyi et un laboratoire dans la tombe de Séthi II, qui se trouvent tout près de là.

Une vaste coopération internationale s'organise. D'illustres savants participent à l'action, tels Harry Burton de New York, expert en photographie ; les deux dessinateurs Hall et Hauser ; Arthur A. Mace, chercheur du *Metropolitan Museum* ; le professeur Alan Gardiner, spécialiste des hiéroglyphes; le professeur Breasted, de l'université de Chicago, expert en scellés; Alfred Lucas, directeur du département de chimie au *Musée national* du Caire.

Durant deux mois et demi, les deux pièces sont ainsi peu à peu vidées «scientifiquement» de leurs trésors. Certains objets sont consolidés sur place, d'autres sont recouverts de paraffine et fixés sur des plateaux afin qu'ils ne se détériorent pas durant le transport.

A la mi-février 1923, l'antichambre et la pièce annexe sont complètement vides.

Savants et officiels patientent dans l'antichambre

Enfin, le mur qui sépare encore l'antichambre de la chambre funéraire va pouvoir être abattu.

Le 17 février 1923, à quatorze heures, une vingtaine de personnes sont conviées à assister à cet événement. Il y a là lord Carnarvon et sa fille, bien entendu, ainsi que Callender et les autres savants qui ont prêté leur concours pour vider les deux pièces.

Sont également présents: le ministre des Travaux publics d'Egypte, Abd el Halim Pacha Suliman; le directeur général de l'administration des Antiquités, Lacau; deux personnalités anglaises, William Garstin et Charles Tust; le directeur du département des Antiquités égyptiennes du *Metropolitan Museum*, Lythgoe; Winlock; Mervin Herber; Richard Bethell; l'inspecteur général de l'administration des Antiquités, Engelbach, et enfin le représentant de la presse gouvernementale égyptienne.

Des fauteuils ont été placés dans l'antichambre et Callender a installé l'électricité afin que savants et officiels puissent patienter dans les meilleures conditions.

Les discussions sont animées et chacun s'interroge sur l'éventuel contenu de la chambre mortuaire, ou supposée telle.

Un véritable mur d'or

C'est alors que, dans un silence impressionnant, Carter s'approche de la porte. La lumière artificielle et crue des projecteurs éclaire violemment l'emplacement de la cloison qu'il s'apprête à démolir.

Lentement, péniblement, les pierres sont arrachées une à une. Il faut veiller, à chaque instant, à ne pas faire basculer les gravats à l'intérieur de la pièce, car cela risquerait de détériorer les objets.

Callender et Mace aident Carter à pratiquer une petite ouverture. «Je devais lutter, à chaque instant, contre la tentation de m'arrêter pour regarder à l'intérieur», raconte Carter.

Enfin, au bout d'un instant, la brèche est suffisamment importante pour que Carter puisse introduire une lampe électrique.

Ce qu'il aperçoit alors le remplit de stupeur : les rayons de sa lampe balaient, en effet, un véritable mur d'or !

«Cette fois, nous sommes vraiment les premiers»

Officiels et savants sont invités par Carter à contempler, à leur tour, ce spectacle fantastique.

«Nous pouvions, poursuit Carter, comme mus par un courant électrique, sentir le frisson d'excitation qui faisait vibrer les spectateurs derrière la barrière.»

Après deux heures d'un laborieux et patient effort, l'ouverture pratiquée permet le passage d'un homme. Carter s'y glisse avec précaution et constate que le niveau de cette nouvelle chambre est situé environ un mètre plus bas que celui de l'antichambre.

Il évalue, à vue d'œil, ses dimensions à environ quatre mètres de large sur six mètres cinquante de long.

Carter alors comprend que l'immense masse d'or qu'il avait prise pour un mur est, en fait, le couvercle d'un gigantesque coffre de bois doré qui remplit presque entièrement la pièce. Un très petit espace de soixante-cinq centimètres sépare le coffre des murs de la chambre et Carter doit marcher avec précaution car le sol, là aussi, est jonché d'offrandes funéraires.

«Notre présence nous parut être un sacrilège», écrit-il.

Sur la face du coffre, le savant découvre une porte à deux battants verrouillés mais non scellés.

La momie est-elle dépouillée, détruite ou volée ?

Maîtrisant avec peine le tremblement de ses mains, Carter tire le verrou d'ébène. A sa grande surprise, un deuxième coffre apparaît. Carnarvon et Lacau, qui sont venus rejoindre Carter, poussent un soupir de soulagement : le sceau en argile qui obstrue le verrou de ce deuxième coffre est intact. Il comporte l'empreinte de deux sceaux différents, celui de la nécropole royale et celui de Toutankhamon.

– Cette fois, nous sommes les premiers ! s'écrie Carter. Les pillards n'ont jamais vu ce coffre !

– Je pense aussi que nous sommes les premiers, renchérit Carnarvon qui maîtrise difficilement son émotion.

QUATRE COFFRES
ET TROIS SARCOPHAGES

A LORS que les trois savants se retirent de la chambre funéraire, Carter découvre une ouverture à l'angle nord-est de la pièce

Cette dernière pièce, de quatre mètres sur trois mètres cinquante, est dépourvue de tout décor. Cependant, un seul regard suffit aux archéologues pour comprendre que cet endroit doit contenir, très probablement, tous les plus précieux objets du tombeau.

Carter, du reste, décide sur-le-champ de baptiser le lieu : chambre du trésor.

Un spectacle éblouissant

Manifestement, les voleurs ont également pénétré dans la chambre. Le contenu de la plupart des coffres – environ soixante pour cent, estiment les spécialistes – a été pillé. Mais les brigands n'ont pas eu le temps de tout emporter.

Ainsi, excepté les objets précieux, découvre-t-on, par exemple, dans l'un des nombreux coffrets, un nécessaire de toilette et, dans un autre, une trousse de scribe composée de trente-quatre pièces parmi lesquelles figurent deux palettes d'ivoire, un godet, deux pains d'encre noire et rouge, un lissoir à papyrus en ivoire et une curieuse petite boîte renfermant des plumes semblables à celles qu'utilisaient, il y a quelques années encore, les écoliers.

D'autres coffres contiennent des médicaments. Il y a également la reproduction d'un grenier à blé, ainsi qu'un moulin à main pour moudre le grain, deux passoires pour filtrer la bière, des sandales de cuir, des anneaux de chevilles en pierre, divers objets dont la signification échappe aux archéologues, et bien d'autres encore.

Eblouis et comblés au-delà de tout espoir, Carter, Carnarvon et Lacau remontent vers l'antichambre. Il leur faut, à présent, tout organiser pour mettre la dépouille à l'abri.

La mort de lord Carnarvon

De longs mois vont s'écouler en préparatifs.

L'entrée du tombeau, à nouveau obstruée par mesure de sécurité, est, en outre, gardée par des équipes de gardiens armés.

Dès lendemain de la découverte, lord Carnarvon est reparti pour Le Caire.

Au début d'avril 1923, Carter reçoit, à Louxor où il séjourne, un message l'informant que lord Carnarvon est souffrant. Persuadé qu'il ne s'agit là que d'un simple accès de fièvre comme il est courant en Orient, Carter ne s'affole pas.

Quelques jours plus tard, un second télégramme l'informe que «lord Carnarvon est très sérieusement malade». Alarmé, il part immédiatement pour Le Caire.

Peu de temps après, Carter assiste à la mort de celui qui fut son soutien, son ami et son compagnon dans les moments les plus durs, mais les plus extraordinaires qu'il soit donné à un archéologue de vivre.

Après les funérailles, Carter s'en retourne seul, poursuivre les travaux d'ouverture des sarcophages qui débutent peu de temps après.

Trois semaines de travail

Dans un premier temps, une équipe d'ouvriers spécialisés, engagés par Carter, procède au démontage du catafalque extérieur.

Des planches de plus de cinq centimètres d'épaisseur le composent. Le bois s'est terriblement desséché au cours des siècles; quant au stuc qui le recouvre, il s'est détendu et menace, à tout instant, de céder. Le poids considérable des côtés (environ trois cent cinquante kilogrammes) complique encore la tâche des ouvriers.

Enfin, après quelques jours de pénibles efforts, le reliquaire est entièrement démonté.

Il s'agit maintenant d'ôter le linceul de lin qui recouvre le deuxième sarcophage, sans que celui-ci soit abîmé; pour cela, le tissu est imbibé d'une certaine solution qui le rend plus solide et permet son transport.

Après plus de trois semaines de travail, les trois premiers coffres sont prêts à être transférés au musée du Caire.

Une effigie fascinante

Le quatrième et dernier coffre, en quartz jaune, mesure deux mètres soixante-quinze de long, un mètre cinquante de large, un mètre cinquante de haut et se trouve fermé par une dalle de granit rose.

Le 3 février 1924, en présence de diverses personnalités, le couvercle, de plus d'une tonne, est soulevé à l'aide de treuils. Carter découvre alors, à l'intérieur de ce quatrième coffre, un sarcophage momiforme recouvert de nombreux linceuls de lin noircis par le temps. Patiemment, délicatement, l'égyptologue retire ces linceuls les uns après les autres, jusqu'à ce qu'apparaisse enfin l'effigie fascinante du jeune pharaon.

L'enthousiasme que suscite cet instant inoubliable est toutefois troublé, dès le lendemain, par une curieuse démarche des autorités du Caire.

Les Egyptiens interdisent aux femmes de visiter le tombeau de Toutankhamon!

Le 4 février, en effet, Carter reçoit un télégramme du gouvernement égyptien interdisant formellement aux... femmes la visite du tombeau ouvert depuis peu au public.

Sur cette étrange affaire et sur les démêlés opposant Carter aux Egyptiens, nous disposons du témoignage d'un ancien collaborateur de Carter, le jeune archéologue Otto Neubert, un Autrichien.

«Carter et ses collaborateurs, écrit-il dans son livre de souvenirs *La Vallée des Rois,* considèrent cette interdiction comme une provocation et protestèrent en menaçant d'arrêter leurs travaux. Il avait effectivement fait fermer le tombeau, mais sans reposer le couvercle du sarcophage, croyant que cet incident s'arrangerait en quelques jours. Il demanda au gouvernement égyptien d'être nommé administrateur du tombeau. Mais le gouvernement lui en interdit l'accès et, lorsqu'il sollicita la permission d'y aller afin de faire redescendre le couvercle, les Egyptiens l'accusèrent de négligence et lui enlevèrent la concession!

»Il y avait alors trente ans que Carter vivait en Egypte. Il avait découvert le tombeau de Thoutmosis IV et avait été nommé, les dernières années, inspecteur en chef des Antiquités de la Haute Egypte. Il avait sacrifié de longues années et la plus grande partie de son œuvre à la découverte du tombeau de Toutankhamon.

»Lorsqu'il l'avait mis au jour, des milliers de touristes avaient afflué, apportant de grands avantages à l'Egypte. Carter avait sacrifié sa santé et négligé ses intérêts matériels, ayant toujours agi en savant désintéressé. Il avait même rompu avec son ami lord Carnarvon parce qu'il avait voulu que ces trésors restassent propriété du gouvernement égyptien.

»Après avoir fait tant de bien à ce pays qu'il aimait, on lui interdisait de poursuivre ses travaux!»

Carter victime de la crise anglo-égyptienne

Un matin, comme Carter refuse toujours de remettre les clés du tombeau, un représentant du gouvernement ainsi que plusieurs avocats et serruriers surgissent sur le chantier.

De nouvelles serrures sont apposées, le couvercle est remis en place, et une garde militaire est disposée autour du sépulcre.

Carter est désespéré. Trente ans de sacrifices ne peuvent être ainsi anéantis du jour au lendemain!

Il charge un célèbre avocat de défendre ses intérêts. Des témoignages de soutien lui parviennent du monde entier. Des savants américains se proposent même comme médiateurs.

Mais Carter est de nationalité anglaise et les relations anglo-égyptiennes traversent, à cette époque, une crise grave. Indépendante depuis le 21 février 1922, l'Egypte voit toutefois sa souveraineté limitée. L'Angleterre se réserve le droit d'assurer ses communications avec le reste de son empire. Elle garde également ses prérogatives militaires. Contre cette «tutelle déguisée», les nationalistes égyptiens mènent le combat, sous la direction de leur chef, Zaghloul, et du parti *Wafd.*

Or les élections de 1924 viennent de porter au pouvoir ces nationalistes que l'occupation britannique exaspère. Et, aux yeux nationalistes, Carter devient, comme tous ses compatriotes, l'incarnation du colonialisme anglais!

Convaincu d'être injustement bafoué, l'archéologue prend la décision de retourner en Angleterre.

Il ne revient poursuivre ses travaux qu'au cours de l'hiver 1925, les difficultés politiques entre les deux pays étant, enfin, plus ou moins aplanies.

1110 kilogrammes d'or massif

Il faut, en effet, attendre le 10 octobre 1925 pour que soit ouvert le premier sarcophage.

Un second, plus petit, apparaît alors, qui s'encastre parfaitement dans le premier. Si parfaitement même qu'il est impossible d'y glisser la main. Tout comme le précédent, il est en bois plaqué de feuilles d'or.

Pourquoi pèse-t-il si lourd? Le cercueil qu'il contient serait-il en plomb?

Lorsque le 28 octobre Carter s'approche du deuxième sarcophage, il ne s'attend certes pas au choc qu'il va subir. Aidé des auxiliaires,

Carter saisit l'une des poignées d'argent qui ornent le couvercle, puis le soulève.

Un linceul rouge apparaît, qui cache le corps du souverain. Seul, le visage est à découvert. Il s'agit d'un masque en or massif incrusté de pierres précieuses!

Carter entreprend de dérouler le linceul. Au fur et à mesure qu'apparaissent les jambes, puis le tronc du pharaon, tous ceux qui assistent à la scène se sentent gagnés par l'émotion et la stupeur. Le sarcophage est entièrement en or massif! C'est le plus beau chef-d'œuvre d'orfèvrerie jamais mis au jour!

Le sarcophage mesure un mètre quatre-vingt-cinq et l'épaisseur de son enveloppe atteint, par endroit, trois millimètres, soit au total 1110 kilogrammes d'or massif!

Dans quel état se trouve la momie?

Cet instant de stupéfaction surmonté, Carter ne peut s'empêcher de formuler à haute voix la question qu'il se pose depuis l'ouverture du second cercueil:

– Dans quel état va-t-on trouver la momie? demande-t-il à son assistant, le Dr Lucas. Est-ce que l'humidité et les onguents dans lesquels elle baigne ne l'ont pas trop détruite?

– Je pense que le mieux serait d'analyser les onguents, suggère Lucas, afin que nous puissions agir avec le maximum d'efficacité.

La proposition de Lucas est aussitôt approuvée. L'analyse révèle que les onguents sont essentiellement constitués de résine et d'une graisse non identifiée. Cette conclusion se confirme lorsque les savants tentent d'ouvrir le cercueil. La poix s'est agglutinée et rend la séparation très délicate.

Après plusieurs tentatives, les savants parviennent à mettre au point un système qui permet cette séparation.

Il faudra des semaines d'efforts dans une pièce exiguë, sombre et surchauffée, où le thermomètre indique parfois jusqu'à quarante-cinq degrés, pour que savants et ouvriers obtiennent la récompense suprême. Toutankhamon, le jeune souverain de Thèbes, va dévoiler son visage!

SIXIÈME PARTIE

LE DOSSIER DES MALÉFICES

«*Les rois d'Egypte faisaient protéger leurs sépultures par des moyens secrets tellement efficaces que, même après de très nombreux siècles, ceux qui les bravent en saccageant lesdites sépultures en subissent les redoutables effets.*»

J. C. Mardrus

Chapitre I

DES MORTS ÉTRANGES

C EUX qui, par tempérament, sont des sceptiques estiment avec Howard Carter que tous les récits concernant la vengeance des pharaons ne sont qu'une forme «dégénérée des histoires de fantômes».

Nombreux cependant sont ceux qui demeurent convaincus que les anathèmes prononcés il y a trois mille ans et plus par les anciens Egyptiens, ont conservé leurs pouvoirs maléfiques.

La liste des personnes décédées à la suite de contacts directs ou indirects avec les tombes ou les momies des pharaons peut, en effet, surprendre. En moins d'un demi-siècle, on a dénombré environ quarante cas de morts «étranges».

Quelles sont les causes «apparentes» de ces décès? Dans certains cas, la victime est prise de violents accès de fièvre, entraînant le délire. D'autres sont atteints de cancer. Toutefois, la cause la plus fréquente de ces décès semble être la crise cardiaque.

On a observé également, chez certains égyptologues, des phénomènes de paralysie, de dépression nerveuse ou d'aliénation mentale.

Lord Carnarvon : «Je ne suis pas très en forme»

Le fait qui déclenche «l'affaire de la malédiction des pharaons» est la mort qui frappe de façon inattendue lord Carnarvon, en avril 1923, quelques semaines seulement après la découverte de la tombe de Toutankhamon.

Un mois et demi avant sa mort, en mars 1923, lord Carnarvon, comme chaque jour, se rend dans la Vallée des Rois afin de suivre, parmi les ouvriers, la progression des travaux dans la tombe du jeune pharaon.

Depuis quelque temps déjà, il porte un pansement sur la joue car, l'autre semaine, en se rasant, il a été piqué par un moustique et la plaie ne cesse de suppurer.

– Décidément, je ne suis pas très en forme ces temps-ci, confie Carnarvon à son ami Carter. Il faut que je consulte un médecin.

Il se sent anormalement faible. Nausées et étourdissements surviennent de plus en plus fréquemment. Et, à présent, il ne parvient plus à supporter le soleil brûlant auquel il s'est pourtant si bien habitué depuis près de dix-sept ans qu'il est en Egypte.

Des pèlerins musulmans prient pour lord Carnarvon

Le 27 mars 1923, lord Carnarvon tombe en syncope dans la tombe de Toutankhamon. Immédiatement transporté à son appartement du Caire, il se met à délirer.

Le médecin diagnostique une congestion pulmonaire.

L'état du malade empire de jour en jour. Ses sommeils sont traversés d'effroyables cauchemars. La fièvre ne cesse de monter et de descendre.

Lord Porchester, le fils de lord Carnarvon, officier dans l'armée des Indes, apprend la triste nouvelle. Il tente alors de trouver un moyen rapide de se rendre au chevet de son prère.

Le nom de lord Carnarvon, depuis la découverte du tombeau, a fait, nous l'avons déjà souligné, le tour du monde. Son fils n'a donc aucune peine à obtenir une place sur un bateau pour se rendre en Egypte.

Durant ce voyage, lord Porchester peut assister à un extraordinaire spectacle : des pèlerins musulmans, informés eux aussi de la nouvelle prient jour et nuit Allah et son Prophète de préserver la vie de lord Carnarvon...

«J'ai entendu l'appel de Toutankhamon», dit lord Carnarvon avant de mourir

Lord Porchester parvient au Caire le 4 avril 1923, quelques heures à peine avant le décès de son père.

«En arrivant au Caire, raconte-t-il, je me rendis aussitôt à l'hôtel *Continental*. Mon père avait perdu connaissance. Howard Carter était là, ainsi que lady Almina, ma mère. Dans la nuit, je fus réveillé à deux heures moins dix, exactement. L'infirmière me dit que mon père était mort, que ma mère restée à son chevet lui avait fermé les yeux. Lorsque je pénétrai dans la chambre, toutes les lumières s'éteignirent d'un seul coup. Nous allumâmes des bougies. Au bout de trois minutes, la lumière revint. Je pris la main de mon père et me mis à prier.»

Lady Burghclere, la sœur de lord Carnarvon, présente elle aussi au chevet du mourant, rapporte dans ses *Souvenirs* que les dernières paroles de l'archéologue furent : «J'ai entendu l'appel de Toutankhamon ; je vais le suivre».

Une étrange panne d'électricité

L'extinction brusque des lumières, à l'heure précise où son père décède, intrigue lord Porchester.

Le lendemain, alors qu'il se rend chez le gouverneur, lord Allenby, pour remplir les formalités de décès, il apprend que l'hôtel *Continental* n'était pas le seul bâtiment plongé dans l'obscurité ; les lumières s'étaient brusquement éteintes, la veille, dans toute la ville

A la demande de lord Allenby, une enquête est menée auprès de la centrale électrique du Caire.

– Le fait est inexplicable techniquement, lui répondent les spécialistes.

Lord Porchester, devenu sixième lord Earl of Carnarvon, relate également un autre fait mystérieux : «Mon père décéda un peu avant deux heures (heure du Caire). Comme je devais l'apprendre plus tard, un événement curieux s'est déroulé, dans la propriété familiale, à Highclere, un peu avant quatre heures du matin (heure de Londres), donc à l'instant même où mon père mourait. Notre petite chienne (un fox), qui avait perdu la patte gauche avant au cours d'un accident survenu en 1919, et qui était très aimée de mon père, se mit brusquement à geindre, se dressa sur ses pattes de derrière et retomba raide morte.»

Des morts inexpliquées

Ces événements ne manquent naturellement pas d'inciter les journalistes à parler de faits étranges, de coïncidences surprenantes, de main invisible, enfin... de malédiction des pharaons.

Il est vrai que la cascade de décès qui survient dans les années qui suivent confère quelque crédit à ces affirmations.

Durant plusieurs années, la mort ne va cesser de s'abattre non seulement sur l'équipe de fouilles mais également sur ceux qui aidèrent à l'entreprise, visitèrent la tombe, ou simplement furent des parents ou amis des chercheurs.

«J'ai succombé à la malédiction»

L'archéologue canadien La Fleur arrive en Egypte en avril 1923, en parfait état de santé. Ami intime de Carter, qu'il est venu rejoindre afin de l'aider dans ses travaux, La Fleur succombe à une mystérieuse maladie à peine quelques semaines après son arrivée.

La troisième victime est l'archéologue anglais, Arthur C. Mace, qui aida Carter à abattre le mur de la chambre mortuaire. Peu après le décès de lord Carnarvon, il est à son tour pris de malaises. Ses forces le lâchent progressivement, jusqu'à ce qu'il perde connaissance et décède – dans le même hôtel que lord Carnarvon – sans qu'aucune cause de son mal ait pu être établie.

C'est ensuite le tour du milliardaire américain, George Jay Gould, l'un des plus vieux amis de lord Carnarvon, venu en Egypte pour rendre un dernier hommage à son compagnon. Très intéressé par les travaux entrepris dans la Vallée des Rois, il presse Carter de lui faire voir le tombeau. Le lendemain de la visite, Jay Gould est atteint de violentes fièvres. Il meurt le soir même.

Le D' Evelyn White, célèbre archéologue et collaborateur de Carter, se pend quelque temps après. Pris de malaise chaque fois qu'il pénétrait dans la chambre mortuaire, il tomba finalement victime d'une dépression nerveuse qui le conduisit au suicide.

Dans sa lettre d'adieu, il écrit: «J'ai succombé à une malédiction qui m'a forcé à disparaître».

Un corbillard qui tue

Alfred Lucas et Douglas Derry succombent à leur tour. Et l'inquiétude se répand parmi les chercheurs du monde entier.

Les deux savants ont participé à l'autopsie de la momie de Toutankhamon et sont morts peu après à la suite d'infarctus du myocarde.

Un peu plus tard, le demi-frère de lord Carnarvon, Aubrey Herbert, se suicide au cours d'une crise de démence aussi soudaine qu'inexpliquée.

En février 1929, lady Almina, épouse de lord Carnarvon, meurt dans des circonstances étranges. Une piqûre d'insecte, selon les médecins, est la cause de sa mort subite.

Durant cette même fatidique année 1929, au mois de novembre, Richard Bethell, l'ancien secrétaire de Carter, est trouvé mort dans son lit. Une défaillance cardiaque, affirment les médecins.

Richard Bethell était le fils unique de lord Westbury. Trois mois plus tard, ce dernier, âgé de soixante-dix-huit ans, se donne la mort en se jetant par la fenêtre depuis le septième étage de son appartement londonien.

Au cours de l'enterrement de lord Westbury, le corbillard renverse deux adolescents. L'un d'eux expire pendant son transfert à l'hôpital.

Toutankhamon en est à sa vingt-septième victime

L'Angleterre se remet tout juste de ces deux morts qu'un «frisson la parcourt à nouveau», comme le souligne la presse de l'époque.

Archibald Douglas Reed, un savant anglais détaché auprès du gouvernement égyptien, meurt à son tour. Reed avait reçu quelques jours plus tôt l'ordre de radiographier la momie de Touthankhamon. Sa mission consistait à détecter les corps étrangers qui pouvaient, éventuellement, se trouver à l'intérieur de la dépouille.

Le lendemain de la séance de radiographie, il a un malaise. Quelques jours plus tard, il succombe, alors qu'il n'avait jamais, jusqu'alors, souffert d'une maladie.

Quelques semaines après, le grand historien de l'Egypte pharaonique, Arthur Weigall[1], tombe victime d'une fièvre inconnue.

Tout aussi «inconnue» semble être la maladie qui emporte Herbert Winlock, l'éminent égyptologue américain attaché au musée de New York.

En décembre 1935, douze ans après la découverte du tombeau de Toutankhamon, le quotidien *L'Orient - Le Jour* de Beyrouth, qui tient une comptabilité serrée des décès occasionnés par cette malédiction, annonce le décès de la vingt-septième victime : «Depuis la mort mystérieuse de lord Carnarvon, Toutankhamon en est à sa vingt-septième victime parmi les personnes qui furent mêlées à la découverte de son tombeau... La dernière mort de cette étonnante série est celle de M. James Breasted, de l'université de Chicago.»

«Les recherches en laboratoire n'apportèrent aucune révélation»

James Henry Breasted est l'un des archéologues qui, avec Carter, avait séjourné le plus longtemps dans le tombeau de Toutankhamon.

Son fils Charles, qui l'accompagnait au cours de ses voyages, raconte dans ses *Souvenirs* l'étrange maladie qui frappa son père : «Chaque nuit, la fièvre faisait son apparition. Il avait mal à la gorge, était pris de frissons et avait l'impression, à certains moments, que son sang brûlait dans ses veines et que sa tête éclatait, comme frappée à coups de marteau. Il supposait qu'il s'agissait d'un retour de la malaria, qu'il avait

---

1.   Son *Histoire de l'Egypte ancienne*, publiée en français chez Payot en 1935, demeure encore un ouvrage de référence.

contractée, autrefois, quelque part en Mésopotamie. Mais les recherches faites en laboratoire, par le médecin anglais qui le soignait, n'apportèrent aucune révélation sur la nature de la maladie; et la quinine administrée au malade ne lui apporta pas de soulagement. »

Dix-huit mois avant la mort de Brestead, sa femme qui, elle aussi, suivait son mari dans ses expéditions, trouvait la mort. «Elle fut de plus en plus fatiguée, relate son fils Charles, jusqu'à ce qu'elle tombât dans un sommeil dont elle n'allait pas se réveiller. »

«Souvenez-vous de la tablette!» disent les fellahs

Entre-temps, la mort a frappé dix autres savants: les professeurs sir Alan Gardiner et Fouchard, l'archéologue Davies, qui avait trouvé le fameux gobelet portant le nom de Toutankhamon et qui fut à l'origine de la découverte, Harkness, l'égyptologue bien connu, les assistants Astor et Callender, les savants Bruyère et Bethell, le chercheur Joël Woolf, le conservateur en chef du département des Antiquités égyptiennes du musée du Louvre, Georges Bénédite, qui meurt d'une congestion après avoir visité le tombeau...

Ces dix victimes, comme les dix-sept autres dont nous venons de relater la mort, sont toutes décédées dans des circonstances bizarres.

Pour les fellahs, cependant, il n'y a rien d'étrange dans tout cela. Seule, la malédiction des pharaons peut expliquer ces phénomènes.

– Souvenez-vous, disent-ils, de l'inscription déchiffrée sur la tablette qui se trouvait dans l'antichambre du tombeau: «La mort abattra de ses ailes quiconque dérange le repos du pharaon».

Le canari de Carter dévoré par un cobra

Cette malédiction semble s'acharner même sur les... oiseaux!

A cet égard, l'archéologue berlinois Otto Neubert rapporte dans ses mémoires une anecdote à propos de Carter:

«Il avait vécu longtemps en Egypte et ne vivait que pour l'archéologie. N'ayant jamais eu le temps de fonder une famille, lors de son dernier séjour en Angleterre, il disait à tout le monde: «J'en ai assez d'être seul!» Avait-il idée de se marier ou peut-être était-il déjà fiancé? se demandait-on. Mais Carter donna vite la réponse: il s'acheta un canari!

»Les indigènes, croyant que cet oiseau portait chance, appelaient le tombeau «le tombeau de l'oiseau». D'autre part, ils prétendaient que les deux statues de gardiens, qui se trouvaient dans l'antichambre et qui portaient au front la tête du serpent sacré symbolisant l'esprit protecteur du roi, devaient tuer ses ennemis, aujourd'hui comme dans l'Antiquité.

»Bientôt, un événement étrange se produisit. Devant la baraque de Carter se trouvait la cage de l'oiseau, posée sur un tas de pierres, et celui-ci, comme d'habitude, chantait allégrement. Lorsque le valet de Carter s'approcha, attiré par un silence soudain, il vit un tableau terrifiant: un grand cobra se trouvait devant la cage en train de manger l'oiseau! Les indigènes parlèrent de nouveau de malédiction et prévinrent les Européens du danger qu'ils couraient.»

CHAPITRE II

MALÉDICTION DE TOUTANKHAMON
OU
MALÉDICTION DES PHARAONS?

TOUTES ces morts se rattachent à la découverte du tombeau de Toutankhamon.

Il est cependant intéressant de noter que de nombreux égyptologues sont morts longtemps avant 1923, date de la mise au jour du sépulcre de ce pharaon.

Tout aussi surprenantes sont, par ailleurs, les morts d'autres archéologues disparus plus récemment et dont les travaux portaient sur d'autres pharaons que Toutankhamon.

Ce qui nous amène à poser la question suivante: la malédiction (si tant est qu'elle existe) est-elle uniquement liée à la tombe de Toutankhamon ou bien s'agit-il d'une malédiction plus générale qui frappe tous ceux qui, par leurs fouilles, leurs travaux et leurs découvertes, dérangent le repos éternel des pharaons? Belzoni, Bilhaz, Brugsh, Goneim, et bien d'autres, ont-ils été tous victimes de cette malédiction?

Inventeur, hercule de foire, acteur, chanteur d'opéra et, enfin, archéologue

Lorsqu'il arrive, pour la première fois en Egypte, en 1815, avec son épouse et un domestique irlandais, Giovanni-Battista Belzoni, originaire de Padoue en Italie, est loin de songer qu'un jour il découvrira le tombeau du pharaon Séthi Ier.

Etonnant Belzoni! Il commence sa carrière, fertile en rebondissements, en inventant une «roue à eau au rendement quatre fois supérieur à celui des roues à eau traditionnelles». Puis, il se met à voyager un peu partout dans le monde, en Angleterre, au Portugal et en Afrique, et exerce les métiers les plus divers: artiste de cirque, hercule de foire, acteur et même chanteur d'opéra!

En arrivant en Egypte, Belzoni propose sa roue à eau au khédive Méhémet Ali. Ce dernier, peu convaincu de l'utilité de cette invention, éconduit Belzoni. L'Italien ne se décourage pas pour autant et, comme il se plaît dans le pays, il décide d'y rester. Que peut-on faire en Egypte, sinon... de l'archéologie. Belzoni, qui n'en est pas à un métier près, s'y lance donc sans l'ombre d'un complexe!

«Faire fortune sur le dos des pharaons» (Belzoni)

Pendant plusieurs années, l'incroyable Belzoni va fouiller avec acharnement le sous-sol de la nécropole de Thèbes.

Durant les deux premières années, l'apprenti archéologue est uniquement animé par le souci de faire d'excellentes affaires.

Depuis l'expédition d'Egypte de Bonaparte, les antiquités égyptiennes sont extrêmement prisées en Europe et se vendent fort bien. Belzoni est décidé, comme il l'avoue lui-même, à faire fortune «sur le dos des pharaons»!

Son *Récit des travaux et découvertes récentes en Egypte et en Nubie* retrace quelques épisodes amusants qui ont marqué ses fouilles: «Un jour, écrit-il, je découvris un couloir si étroit que je pouvais tout juste y passer au prix de grands efforts. Dans ce couloir, des momies étaient entassées en grand nombre, de sorte que je ne pus éviter de frôler les visages de quelques-uns de ces anciens Egyptiens. Etant donné que le couloir descendait obliquement, mon propre poids m'attira vers le bas. Je ne pus empêcher que des crânes, des jambes, des bras, s'écroulassent sur moi.

» C'est ainsi que je parvins à toute une série de cavernes. Dans chacune des chambres, des momies étaient empilées les unes sur les autres. Quelques-unes étaient debout sur les pieds, d'autres étaient dressées sur la tête. »

La chambre souterraine de Chéops était vide !

Pris à son propre jeu, Belzoni finit par se passionner réellement pour son nouveau métier. Peu à peu, le pillard soucieux de bonnes affaires se métamorphose en archéologue désintéressé.

En 1817, il découvre le tombeau de Séthi Ier, le fouille de fond en comble, relève les inscriptions, fait des moulages et des dessins et engloutit, dans ces multiples travaux, la totalité de ses économies, au grand désespoir de son épouse ! « La découverte de ce tombeau, note Belzoni dans son journal, me dédommagea de toute la peine que je m'étais donnée en poursuivant mes recherches. Ce jour-là a peut-être été le plus beau jour de ma vie. »

Peu après cette découverte, il apprend qu'un de ses compatriotes, le capitaine Caviglia, est en train de fouiller le puits qui se trouve à l'intérieur de la pyramide de Chéops. Avec l'aide de son ami Salt, le consul anglais à Alexandrie, Belzoni rejoint l'équipe de Caviglia et participe activement aux travaux menés dans la Grande Pyramide. Les deux archéologues italiens réussissent à déblayer plusieurs galeries intérieures et atteignent la chambre souterraine de Chéops. Mais la chambre est vide et les parois ne portent que quelques graffiti grecs et romains !

La peur du ridicule ne tue pas Belzoni

Cette déception n'entame nullement l'enthousiasme de Belzoni.

– Pourquoi, dit-il un jour à Caviglia, s'acharner sur la pyramide de Chéops ! Il y a bien d'autres monuments qui méritent d'être étudiés.

Avec raison, l'archéologue amateur pense que des révélations plus rares récompenseraient ceux qui, dédaignant le monstre sacré, s'intéresseraient aux pyramides voisines. Belzoni décide donc de se consacrer à celle de Chephren.

Où se situe l'entrée de ce monument ? Beaucoup d'archéologues, parmi lesquels Caviglia, l'ont cherchée en vain. « Tourmenté par cette idée, écrit Belzoni, je me levai pour examiner le côté méridional. » Avec l'ardeur des néophytes, il inspecte la base, attentif à la moindre faille, à la moindre encoche. Sur le côté nord, où la tradition situe les entrées des tombeaux, il se livre à un examen minutieux et découvre trois marques. « Si j'échoue, se dit-il, je m'expose à la risée générale. » Mais Belzoni possède l'audace des amateurs. Il entreprend donc des démarches auprès du cachef d'Embâbeh et du pacha du Caire et se retrouve devant la pyramide de Chephren avec une petite tente et... 200 livres sterling en poche.

Les pyramides : rien d'autre que des sépultures

Face à la paroi orientale, Belzoni remarque les vestiges d'un temple d'où s'élance une chaussée descendant tout droit vers le Sphinx. Il place une équipe de quarante Arabes entre son portique et la pyramide pour chercher un accès vers l'intérieur de celle-ci. Pendant plusieurs semaines, les ouvriers s'épuisent à dégager la voie pavée. Enfin, le 18 février 1818, l'un des Arabes signale une mince crevasse entre deux pierres et y enfonce une perche de palmier, longue d'une toise.

Encouragé par cette trouvaille, Belzoni poursuit ses recherches et parvient, en avril 1818, à pénétrer à l'intérieur de la pyramide de Chephren. Dans la chambre funéraire, il met au jour un sarcophage au couvercle brisé. La découverte de Belzoni est importante. A l'époque où elle a lieu, en effet, les archéologues se demandaient si réellement les pyramides étaient des lieux de sépulture. S'ajoutant à d'autres découvertes, le sarcophage de la pyramide de Chephren enrichit fort opportunément le dossier de ceux qui, comme Belzoni, soutiennent cette théorie communément admise aujourd'hui par l'immense majorité des égyptologues.

Commentant cette découverte, Belzoni écrit: «Puisqu'elle renferme des chambres et un sarcophage destiné probablement à la sépulture de quelque grand personnage, il ne reste guère de doute qu'elle n'ait servi de tombeau, et je conçois à peine comment on a pu en douter... Le désir de trouver quelque chose de neuf a fait faire les suppositions les plus singulières, et il semble qu'on ait pris bien des soins pour s'écarter de ce qui se présentait si naturellement aux regards et à l'esprit. Peut-être, si les Anciens avaient dit que les Egyptiens avaient bâti les pyramides pour servir de dépôts à leurs trésors, les modernes auraient prouvé, très savamment, que les pyramides n'ont pu servir que de tombeaux, et alors on aurait fait valoir en faveur de la vérité toutes les circonstances qu'on néglige aujourd'hui.»

«Je sens la main de la mort s'appesantir sur moi!»

Après ce brillant succès, Belzoni abandonne provisoirement l'archéologie pour se lancer dans une nouvelle aventure.

Passionné par le continent africain qui est loin d'être totalement exploré à cette époque, Belzoni se propose de répondre à la question alors très discutée: le Nil et le Niger constituaient-ils un seul et même cours d'eau, sans source et avec deux embouchures? Pour cela, il faut partir en Afrique occidentale. Comme l'expédition est coûteuse, l'ingénieux Belzoni se rend en Angleterre, en emmenant avec lui quelques antiquités... dont le sarcophage de Séthi Ier. Il organise, en avril 1823, une exposition à Londres, réunit un peu d'argent et s'embarque, avec son épouse, pour Tanger.

De là, pense-t-il, il pourra rallier le Soudan en traversant le Sahara. Quelques jours après avoir quitté Tanger, Belzoni est contraint par les Touareg à rebrousser chemin. Il se résout alors à continuer son voyage par bateau en direction de la Sierra Leone.

C'est là qu'il est pris de violentes fièvres accompagnées de délire. «Je sens la main de la mort s'appesantir sur moi... Je sais que je n'ai plus que quelques heures à vivre.» Un sorcier africain lui administre de l'opium pour calmer la fièvre. En vain. Le 3 décembre 1823, Belzoni meurt en lançant... dans son délire, des imprécations contre Séthi Ier.

– Les pharaons se sont vengés, dit le sorcier.

Une fièvre mystérieuse emporte Theodor Bilharz

Trente-neuf années plus tard, en 1862, un médecin et chercheur allemand, Theodor Bilharz, meurt dans les mêmes circonstances.

Reçu docteur en médecine à 25 ans, Bilharz exerce à Tübingen en collaboration avec un autre médecin, Wilhelm Griesinger.

Lorsque ce dernier est appelé, en 1850, par le vice-roi d'Egypte à occuper le poste dans ce pays, Bilharz l'accompagne en tant qu'assistant. Quelque temps après, Griesinger démissionne et Bilharz le remplace.

Passionné, lui aussi, par l'archéologie, Bilharz devient rapidement le spécialiste de l'autopsie des momies.

Sa formation polyglotte lui permet de servir d'interprète entre les multiples équipes de chercheurs. Il est, en outre, chargé par le gouvernement égyptien de faire visiter les hauts lieux de l'archéologie aux personnalités officielles de passage en Egypte.

En été 1862, alors qu'il faisait visiter Louxor à l'une de ces personnalités, le savant est pris de frissons. Alité chez l'un de ses amis, le professeur Lautner, Bilharz délire durant quinze jours puis meurt sans avoir repris connaissance et sans que l'on ait pu déterminer la cause exacte de son mal.

Lautner, qui a assisté aux derniers moments du professeur Bilharz, affirme qu'une «fièvre mystérieuse et inconnue» a emporté son ami.

L'ingénieuse théorie de Lepsius
sur la construction des pyramides

Richard Lepsius, quant à lui, vivra jusqu'à l'âge de soixante-quatorze ans, mais il restera infirme durant de nombreuses années.

Professeur à l'université de Berlin, philologue et grammairien bien connu, Lepsius prend la tête, à l'âge de 31 ans, d'une expédition commanditée par Frédéric-Guillaume IV de Prusse.

Cette expédition dure de l'automne 1842 à la fin de l'année 1845. De retour à Berlin en 1846, Lepsius commence à travailler à la publication de l'énorme moisson de dessins et d'estampes qu'il a amassée au cours de ses investigations ou de ses fouilles. Le premier des douze volumes paraît en 1849 et le dernier sept ans après, en 1856. Si la grande majorité des planches est consacrée à des textes et à des bas-reliefs, les deux premiers volumes donnent des cartes et des vues d'ensemble de sites et de monuments. En ce qui concerne, en particulier, les pyramides, Lepsius y publie une carte de la nécropole memphite, divisée en un certain nombre de planches. Elle constitue encore aujourd'hui un excellent document.

En dehors de ce plan de la nécropole memphite, Lepsius ne donne des pyramides que des dessins de leur aspect extérieur. Cependant, dans le journal qu'il avait rédigé au cours de son expédition, il fournit de brèves indications sur la plupart des pyramides.

Après avoir étudié principalement les structures internes de la grande pyramide d'Abousir et de la pyramide de Meïdoum ainsi que celles de la pyramide à degrés de Sakkara, il suggère que toutes, ou au moins la plupart des pyramides, y compris les grandes de Gizeh, auraient été construites en gradins, avec additions successives de tranches de maçonnerie appliquées aux faces parées de ces gradins et parallèlement à elles.

S'appuyant alors sur cette hypothèse, il émit sa fameuse théorie d'après laquelle les rois auraient ajouté à leur pyramide, au fur et à mesure de l'allongement de leur règne, de nouvelles tranches de maçonnerie avec revêtement. La dimension d'une pyramide aurait été ainsi directement proportionnelle à la durée du règne de son possesseur, et cette durée aurait pu en quelque sorte être déterminée par le nombre de revêtements inclus dans la pyramide, tout comme l'âge d'un arbre est donné par le nombre des cercles de l'aubier dans la section de son tronc.

La main invisible des pharaons

Telle est, très brièvement résumée, la carrière égyptologique du grand Lepsius.

Victime sur ses vieux jours d'une crise cardiaque, il demeure paralysé du côté droit et meurt en 1884. Les médecins diagnostiquent un cancer. Cela n'empêche pas un journaliste allemand, Herbert Wagner, d'affirmer que Lepsius a été frappé par la «main invisible» des pharaons. «On ne fouille pas impunément, écrit-il, la terre sacrée de l'Egypte. On n'arrache pas impunément à cette terre les statues et les momies des antiques pharaons pour enrichir le musée de Berlin. Ce sont là des actes sacrilèges qu'on paie, un jour ou l'autre, de sa vie.»

Des symptômes d'aliénation mentale

Cette «main invisible» semble n'avoir pas épargné un autre archéologue berlinois, Heinrich Brugsch.

Il séjourne de longues années en Egypte et s'intéresse au passé lointain de ce pays.

Deux de ses ouvrages lui valent une notoriété toute particulière. Il s'agit de sa *Géographie de l'Egypte ancienne* et de son *Histoire d'Egypte sous les Rois indigènes*.

En dépit de ces éminents travaux, Heinrich Brugsch, toute sa vie, montre des symptômes évidents d'aliénation mentale.

Gaston Maspéro affirme que Brugsch cite, dans l'un de ses ouvrages, des documents qui n'ont jamais existé et qu'il a tout bonnement... inventés!

Ces symptômes d'aliénation, si fréquemment relevés chez les personnes «victimes» de la malédiction des pharaons, s'aggravent quand Brugsch revient à Berlin.

Sous les prétextes les plus futiles, il entre en querelle avec certains quotidiens allemands et leur reproche le peu d'intérêt qu'ils montrent à ses travaux. Il se plaint d'être victime d'une conjuration et déclare, à qui veut l'entendre, que le «monde archéologique a peur des terribles révélations» que lui, Brugsch, est capable de faire.

Hospitalisé dans un asile psychiatrique à Berlin, Heinrich Brugsch meurt en 1907, après d'affreuses crises de folie.

Un reportage en direct de la Grande Pyramide

Ainsi, à travers les quatre exemples que nous venons de citer et qui concernent le XIXᵉ siècle, nous retrouvons les principales causes de décès que nous avons déjà énumérées, concernant le XXᵉ siècle:

défaillances cardiaques, fièvres accompagnées de délire, cancer et aliénation mentale.

Plus près de nous dans le temps, ces mêmes causes ont provoqué la mort de nombreux égyptologues.

En 1942, par exemple, on apprend la mort soudaine de l'archéologue américain George A. Reisner, alors directeur de la Société de recherches Boston-Harvard.

Entre 1920 et 1930, Reisner effectue de grandes découvertes comme celle du tombeau de la reine Hétéphérès, dont la pyramide se trouve à peu de distance de celle de Chéops. Mais Reisner est surtout célèbre comme producteur, en 1939, d'une émission de radiodiffusion fort spectaculaire.

Il organise, en effet, un reportage en direct, à partir de la chambre royale de la fameuse pyramide de Chéops.

Au printemps 1942, tandis qu'il poursuit ses travaux à l'intérieur de cette pyramide, Reisner s'écroule, foudroyé par une crise cardiaque. Ramené jusqu'à sa tente, il y meurt sans avoir repris connaissance.

Emery «fasciné» par la statue d'Osiris

Tout aussi soudaines sont les morts du Dr Zakaria Goneim et de l'archéologue anglais, Walter Bryan Emery.

Le premier est inspecteur en chef de l'administration des Antiquités de Haute Egypte, ce qui l'amène à effectuer de nombreuses visites dans les tombes pharaoniques. Après s'être plaint durant de nombreuses années de troubles nerveux extrêmement violents, Goneim, en proie à une crise de folie, se suicide en 1959 en se jetant dans le Nil.

Emery est, lui, professeur d'égyptologie et, à partir de 1935, directeur des fouilles de Sakkara. Ce champ de fouilles de grandes dimensions, situé à environ trente kilomètres au sud du Caire, est l'ancienne nécropole de Memphis que domine l'imposante pyramide à degrés du roi Djoser.

A compter de 1964, Emery s'efforce, comme bien d'autres, de trouver le tombeau du génial Imhotep.

Le 10 mars 1971, alors que les ouvriers d'Emery remontent du sous-sol une masse de sable et de pierres, apparaît une petite statuette d'environ vingt centimètres de haut. Emery s'en saisit et la contemple «comme fasciné», diront les témoins. Il s'agit, en fait, d'une représentation d'Osiris.

Comme c'est l'heure de la sieste, Emery et son assistant Ali el Khouli regagnent le baraquement qui leur sert de lieu de repos durant les après-midi.

«La malédiction des pharaons a agi une fois de plus»

Emery se dirige vers le cabinet de toilette pour se rafraîchir, tandis qu'Ali, épuisé, se jette sur le divan et commence à s'assoupir. «Tout à coup, raconte El Khouli, j'entends Emery gémir dans le cabinet de toilette. Je m'approche et je le vois, par la porte entrouverte visiblement souffrant, s'accrochant au lavabo. Je lui crie: «Cela ne va pas?», mais il ne répond pas. Il est comme paralysé. J'entre dans le cabinet de toilette, je le saisis par les épaules et je le traîne jusqu'au divan. Puis je me précipite au téléphone.»

A l'hôpital britannique du Caire où Emery est conduit, les médecins ne peuvent que constater une paralysie totale du côté droit du corps avec perte de langage. Dès le lendemain, le jeudi 11 mars 1971, W. B. Emery meurt.

«Cet événement étrange nous fait croire que la malédiction légendaire des pharaons a agi une fois de plus...» écrit le quotidien *Al Ahram*, le 12 mars 1971.

La momie qui tue

La plus récente «victime» de cette malédiction est Kamal Mahrez. Sa mort est relatée par le *Parisien libéré* du 7 février 1972: «On apprend, au Caire, que M. Kamal Mahrez, chef des services des Antiquités égyptiennes, 52 ans, est mort récemment d'une hémorragie cérébrale. C'est un décès qui risque de faire rebondir les discussions sur la légende de Toutankhamon, pharaon de la XVIIIe dynastie, dont la momie aurait entraîné la mort de presque tous ceux qui étaient associés à sa découverte... On ne manquera pas de faire remarquer que M. Kamal Mahrez avait signé, récemment, avec le British Museum de Londres, un accord pour une exposition de cinquante objets provenant de la tombe de Toutankhamon. Il avait succédé, dans ses fonctions de conservateur, à M. Mohammed Mehdi qui mourut, lui aussi, d'une hémorragie cérébrale alors qu'il venait d'autoriser l'exposition, à Paris, d'un certain nombre d'objets du trésor de Toutankhamon.»

LES SAVANTS FACE À LA VENGEANCE DES PHARAONS

POUR la majorité des savants, on l'a dit, la malédiction ou vengeance des pharaons n'est que pure vue de l'esprit.

Certains d'entre eux, cependant, tentent d'expliquer ces morts etranges par des théories scientifiques qui, parfois, à défaut d'emporter notre adhésion, ne manquent pas d'intérêt. Pour ces savants, la vengeance des pharaons est un terme générique qui cache simplement des phénomènes inconnus ou peu connus mais parfaitement réductibles à des analyses scientifiques.

Chauves-souris et malédiction

En 1956, le Dr Dean, médecin-chef de l'hôpital de Port-Elisabeth, en Rhodésie, avance l'hypothèse d'un virus que l'on trouve dans les excréments des chauves-souris et autres substances putrescentes que contiennent les tombeaux des pharaons.

A l'appui de son hypothèse, Dean affirme que la maladie produite par ce virus, et appelée histoplasmose, provoque des symptômes similaires à ceux étudiés fréquemment chez les personnes victimes de la malédiction : forte fièvre et épuisement extrême.

Toutefois, si nous retenons l'hypothèse d'une malédiction prononcée il y a des milliers d'années, cette théorie du Dr Dean ne peut être adoptée car elle n'est en aucun cas la conséquence d'une mesure de protection verbale ou matérielle, mais un simple phénomène naturel.

Une toxicologie plusieurs fois millénaire

Plus réaliste est la théorie des poisons. Les Egyptiens connaissaient, sans aucun doute, un certain nombre de poisons.

Le quatrième *Livre de Moïse* nous rapporte l'une de leurs coutumes qui consistait, en effet, à forcer une femme adultère à boire un liquide empoisonné. Les épouses qui survivaient étaient déclarées innocentes. Les autres, subissant le châtiment des dieux, périssaient parce que, par eux, elles avaient été jugées coupables.

Si peu d'exemples, en dehors de celui-ci, nous sont parvenus concernant l'étendue de la toxicologie pratiquée par les Egyptiens, c'est que cette science était un domaine réservé. Seuls les prêtres et les magiciens, on l'a déjà dit, étaient versés dans cette «science secrète».

Selon certains savants, il n'est du reste pas exclu qu'ils aient acquis en ce domaine de très importantes connaissances. L'oignon toxique, ou *Haemanthus toxicarius*, dont le liquide paralyse la moelle épinière, le cerveau et les voies respiratoires, devait très certainement être connu des Egyptiens ainsi que certains fruits comme le corallodendron qui contient un poison semblable au curare. De même, connaissaient-ils le venin du scorpion, ou celui d'un grand nombre de serpents, araignées ou crapauds qui déclenchent, eux aussi, des phénomènes de paralysie du système nerveux.

Certains de ces poisons auraient-ils été déposés dans les tombeaux ? Auraient-ils gardé une efficacité capable, après plusieurs millénaires, de provoquer la mort ?

L'absorption de ces poisons, par voie buccale, est peu plausible dans le cas des archéologues. Cela laisse, en effet, supposer que les savants ont porté à leurs bouches des objets, ce qui semble extravagant.

Il n'est pas nécessaire d'avaler ces substances pour en subir les terribles effets. Il suffit, en effet, que le corps humain les absorbe par transpiration ou par l'intermédiaire de petites plaies, sur une quelconque partie du corps.

En supposant que certains objets ou surfaces murales aient pu être enduits de poison, il devient logique d'attribuer les phénomènes que nous cherchons à expliquer à ces divers poisons.

Les températures dans les hypogées atteignant parfois cinquante degrés, il n'est pas exclu que les chercheurs aient transpiré. Ni, par ailleurs, qu'ils se soient écorchés en déplaçant des objets.

De récentes analyses ont en effet établi que les poisons, même desséchés, gardent tout leur pouvoir pendant un temps extrêmement long.

Émanations mortelles et drogues chimiques

D'autres chercheurs se sont, eux, penchés sur le problème des gaz et des vapeurs toxiques.

Cette technique, comme le rapportent certains historiens, était déjà utilisée au Moyen Age. On imbibait, par exemple, la mèche d'une bougie de cire avec de l'arsenic et les émanations ainsi produites entraînaient la mort.

Pourquoi, avancent certains, ne pas supposer que de telles bougies aient été brûlées avant la fermeture des tombes de pharaons ?

Pourquoi, également, ne pas admettre que des capsules contenant certaines drogues chimiques obtenues à partir du blé aient pu être déposées par les Anciens dans les sépulcres ?

Ces capsules, en se désagrégeant, auraient libéré un gaz toxique paralysant, bien connu des scientifiques, et qui provoque une maladie appelée « ergot du seigle » se manifestant par une paralysie progressive et l'aliénation mentale du sujet.

Pourquoi, contrairement à la religion, les tombeaux étaient-ils clos ?

On peut également supposer que les Egyptiens ont appliqué leurs connaissances concernant les pouvoirs destructeurs du mercure à la défense des sépultures.

Certains documents, datant du XVe siècle avant notre ère, rapportent en effet que les anciens Egyptiens avaient découvert le mercure. Totalement inodore, le mercure, en s'évaporant, détruit les cellules nerveuses et provoque de graves troubles psychiques.

L'acide prussique, quant à lui, n'est pas sans odeur mais il est tout aussi dangereux que le mercure. Les Egyptiens, affirme le chimiste anglais Humphrey, l'obtenaient notamment à partir des noyaux d'amandes amères. Il provoque la mort par asphyxie des voies respiratoires. D'autres chercheurs supposent que les bandelettes entourant les momies étaient imprégnées d'acide prussique.

A propos de ces divers gaz asphyxiants, toxiques ou paralysants, il faut noter que les tombeaux des pharaons étaient très hermétiquement clos. Or, cela était rigoureusement interdit par la religion égyptienne. Le *Ka* devait, en effet, avoir la possibilité d'entrer et de sortir à son gré. Le même Humphrey soutient que les anciens Egyptiens procédaient ainsi, non point dans le but de préserver les sépultures des pillards comme on le croit, mais pour permettre aux gaz de demeurer efficaces.

Une pyramide aiguisoir !

En 1959, l'ingénieur tchèque Karel Drbal obtient un brevet sous le numéro 91304 pour... une pyramide aiguisoir !

Comme de nombreux savants à travers le monde entier, Drbal essayait de la sorte de démontrer que certains corps géométriques, et plus particulièrement la forme pyramidale, accumulent de l'énergie et servent, selon les cas, de condensateur ou de lentille.

Avant lui, les travaux du radio-esthéticien français Jean Martial avaient démontré que le temps de momification des corps était considérablement réduit à l'intérieur des pyramides.

Drbal pousse plus avant les expériences de Martial et construit une pyramide en carton de quinze centimètres de hauteur et de vingt-quatre centimètres de longueur d'arête à la base. Après quoi, il introduit à l'intérieur de cette petite pyramide une lame de rasoir posée sur un socle en bois surélevé d'environ cinq centimètres. En l'espace de six jours, la lame était affûtée ! Les deux objets étaient orientés nord-sud, comme les pyramides de la Vallée des Rois.

Cet exemple de physique expérimentale amène naturellement certains à affirmer que les anciens Egyptiens connaissaient parfaitement ces phénomènes. Des phénomènes qui n'expliquent guère, en l'occurrence, la malédiction des pharaons mais qui nous éclairent sur les techniques scientifiques de l'Egypte pharaonique.

Une nuit dans la Grande Pyramide

Le chercheur anglais Paul Brunton, qui étudiait lui aussi les mystérieux phénomènes recelés par les pyramides, a tenté, à cet égard, une expérience assez originale.

Après bien des démarches, il obtint l'autorisation de passer une nuit entière enfermé dans la chambre royale située au centre de la pyramide de Chéops.

Voici en quels termes Paul Brunton raconte, dans son *Egypte secrète* (Payot 1947), les visions de cauchemar qui l'assaillirent durant cette nuit mémorable : « Des figures spectrales s'étaient mises à ramper dans mon noir séjour, elles y tournaient partout ; l'indéfinissable sentiment de malaise qui m'avait précédemment saisi recevait pleine et entière justification. Sous une pareille tension, vers le milieu de cette chose inerte qu'était mon corps, je m'aperçus que mon cœur battait comme un marteau. La crainte du surnaturel, qui nous guette tous tant que nous sommes, mordait sur moi une fois encore. Crainte, peur, horreur me présentaient tour à tour leur méchante face. Involontairement, mes mains se serraient avec l'étreinte d'un étau. Mais j'étais décidé à passer outre ; quoique ces formes fantomatiques aient d'abord ébranlé en moi une sensation de frayeur, elles finirent par m'amener à mobiliser toutes les réserves de courage et de combativité que je pusse réunir.

Des formes à l'aspect baroque, grotesque, fou, démoniaque

» Mes yeux restaient clos, cependant que toutes ces formes grises, glissantes, vaporeuses s'imposaient à ma vision. Et toujours leur implacable hostilité, leur atroce acharnement à m'empêcher de suivre ma résolution...

» Le paroxysme arriva enfin. Des espèces monstrueuses, indéfinissables, de sinistres, d'infernales horreurs, des formes à l'aspect baroque, grotesque, fou, démoniaque fourmillaient autour de moi ; la répulsion qu'elles m'inspiraient m'infligeait une inimaginable souffrance. En quelques minutes, j'ai vécu là des émotions dont le souvenir ne m'abandonnera en aucun temps. Cette scène incroyable demeure photographiée en haut relief dans ma mémoire. Pour rien au monde, je ne tenterai de renouveler pareille expérience ; jamais plus je n'établirai ma demeure nocturne au sein de la Grande Pyramide. »

Une concentration d'énergie utilisée pour tuer ?

L'expérience de Brunton, il est vrai, présente un caractère effrayant même pour un savant équilibré : l'épouvante alors ressentie a pu occasionner ces visions cauchemardesques.

Mais de nombreux autres témoins ont, eux aussi, éprouvé certains troubles à l'intérieur de la Grande Pyramide.

H. V. Morton, un savant britannique, raconte dans son livre, *A travers les pays de la Bible*, sa propre expérience.

Alors qu'il visitait, en compagnie d'autres touristes, la pyramide de Chéops, Morton fut brusquement saisi d'une panique indescriptible et d'une grande lassitude. Il dut sortir rapidement et «à quatre pattes», comme il le raconte lui-même.

Forts de tous ces témoignages, plusieurs chercheurs se demandent si les Egyptiens de l'Antiquité n'auraient pas accumulé certaines formes d'énergie à l'intérieur des tombeaux, énergie susceptible d'entraîner non seulement des visions d'horreur, mais même la mort des violateurs.

Mais, là, force est de reconnaître que nous quittons le domaine des explications scientifiques pour entrer dans celui des conjectures, des suppositions et des hypothèses où il s'agit plus de croire que de démontrer.

SEPTIÈME PARTIE

CHAMPOLLION ET LE SECRET
DES HIÉROGLYPHES

« Ma science hiéroglyphique est assez avancée seulement pour entrevoir l'espace immense qui lui reste à parcourir avant de marcher sans obstacle dans le grand labyrinthe de l'écriture sacrée. Je vois la route qu'il faut suivre, mais j'ignore si le zèle d'un seul homme et sa vie entière peuvent suffire pour une si vaste entreprise. »

Jean-François Champollion

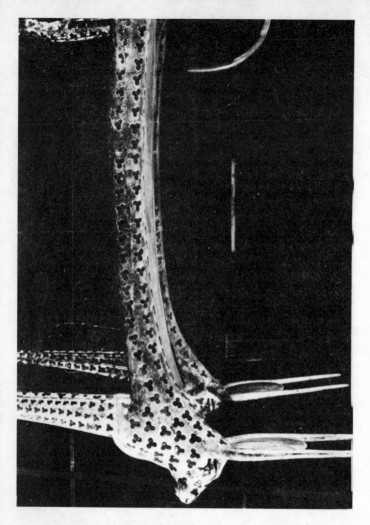

Lit funéraire trouvé dans l'antichambre du tombeau de Toutankhamon.
Ce lit-véhicule en bois plâtré, doré, orné de bronze et d'étoiles noires,
fut probablement le meuble sur lequel s'accomplirent les rites et les
opérations de momification. En forme de vache, il figure la déesse
Hator ou Isis-Méhet, chargée d'accueillir le défunt dans l'au-delà.
Famot.

Chapitre I

PREMIÈRES TENTATIVES D'INTERPRÉTATION

L'ÉCRITURE apparaît en Egypte, selon toute probabilité, vers l'an 3200 avant J.-C. Il semble que, dès cette époque fort reculée, les Egyptiens aient été pris d'une véritable frénésie d'écriture. Celle-ci s'inscrivait, il est vrai, dans un cadre religieux. La connaissance de l'écriture – par voie de conséquence la lecture – était en effet le moyen par excellence d'accéder, selon les Egyptiens, aux mystères sacrés et à la vérité.

L'écriture répondait aussi à une nécessité administrative. Elle apparaît en Egypte au moment de l'unification du pays. Ce n'est pas un hasard. La civilisation égyptienne dépend étroitement du Nil ; elle repose sur la bonne utilisation des eaux du fleuve. Il faut construire des digues qui le contiennent, des barrages qui retardent son écoulement. Il faut aussi aplanir le sol pour répartir l'eau uniformément, creuser des canaux pour l'amener le plus loin possible.

Toutes ces opérations supposent une administration forte et centralisée qui exige, à son tour, un outil de communication commode, c'est-à-dire l'écriture.

Plus de 6000 signes hiéroglyphiques !

Les Egyptiens de l'époque pharaonique gravent leurs signes sur du bois ou sur de la pierre, ou bien les inscrivent sur de la toile ou du papyrus. Une tige de roseau trempée dans une palette de bois creusée contenant des couleurs est leur principal outil d'écriture, avec le burin.

Ce sont les prêtres qui sont premièrement chargés des travaux d'écriture. Puis des scribes professionnels travaillent pour le peuple.

Le métier d'écrivain est du reste très prisé. C'est un métier de prestige auquel s'attachent divers privilèges, entre autres celui d'être exempté d'impôts.

Dans les familles riches, seuls les fils apprennent à lire et à écrire dans des écoles dirigées par des prêtres. L'étude est longue et difficile. Il leur faut, en effet, enregistrer quelque 500 signes.

Et, cependant, ces 500 signes ne constituent qu'une base. De nos jours, *l'Institut français d'archéologie orientale* répertorie plus de 6000 caractères hiéroglyphiques !

Les livres sacrés du temple d'Edfou

La science de l'écriture, à caractère essentiellement religieux, est élaborée au sein d'édifices appelés *Maisons de vie*. Là, sont étudiés, réunis, recopiés les textes sacrés. C'est à l'intérieur de ces *Maisons de vie*, également, que sont établis les brouillons des inscriptions destinées à être gravées sur les monuments.

Tous ces textes sont ensuite classés, répertoriés et enfermés dans des salles dites *Maisons des livres*, attenantes aux temples.

Voici un extrait de la liste des livres sacrés du temple d'Edfou, retrouvée gravée sur les murs de la bibliothèque :

« *Le Papyrus et les grands parchemins de cuir pur, permettant*
» *d'abattre le démon ;*
» *de repousser le crocodile ;*
» *de protéger l'heure ;*
» *de préserver la barque ;*
» *le livre pour faire sortir le roi en procession ;*

» *le livre de la conduite du culte ;*
» *la protection de la ville, de la maison, de la couronne blanche*
                                        [du trône, de l'année ;
» *le livre pour connaître tous les secrets de laboratoire ;*
» *pour connaître les offrandes divines en tous leurs détails ;*
» *le livre de l'inventaire du temple ;*
» *le livre pour l'intimidation des hommes ;*
» *le livre de tous les écrits de combats ;*
» *instructions pour la décoration d'une paroi ;*
» *protection du corps ;*
» *guide des retours périodiques des astres ;*
» *énumération de tous les lieux, et connaissances de ce qui*
                                        [s'y trouve... »

Les trois types d'écriture pharaonique

Depuis Clément d'Alexandrie, père de l'Eglise du IIIe siècle de notre ère, très érudit quant au paganisme, on distingue trois types d'écriture pharaonique :
– la *hiéroglyphique*, dans laquelle chaque signe est dessiné ou gravé, souvent dans le plus grand détail ; c'est l'écriture monumentale typique, que l'on peut voir dans les temples comme sur les obélisques, statues et stèles ;
– l'*écriture hiératique*, dont les signes sont très cursifs ; elle s'écrit uniquement de droite à gauche, en colonnes à l'époque la plus ancienne, puis en lignes ;
– enfin, l'*écriture démotique*, ou populaire, plus cursive encore, toujours écrite de droite à gauche et en lignes.

Les trois écritures n'ont pas été employées aux mêmes époques. Seule l'écriture hiéroglyphique fut utilisée pendant toute la durée de l'histoire égyptienne. Il faut noter toutefois que les formes de ses signes évoluèrent quelque peu au cours de cette longue période et que leur nombre eut tendance à croître outre mesure, à partir de l'époque hellénistique qui termine l'ancienne Egypte.

L'écriture hiératique apparaît en même temps que l'hiéroglyphique. C'est surtout l'écriture des documents administratifs et judiciaires, mais elle est aussi utilisée pour les lettres privées, la littérature, les traités religieux ou scientifiques, de médecine ou de magie. C'est l'écriture des scribes de la *Maison de vie* dans les temples. Elle est, le plus souvent, tracée sur papyrus, ou sur des éclats de poterie ou de calcaire, les *ostraca*. Parfois, on la trouve aussi gravée ou martelée sur pierre, notamment dans les graffiti des déserts limitrophes de l'Egypte. C'est l'écriture courante des scribes.

Aux alentours du IXe siècle avant J.-C., le hiératique dégénère. De plus en plus cursif, il donne naissance au «hiératique anormal», puis devient, à partir du IIIe siècle, le démotique. Celui-ci remplace complètement le hiératique dans la rédaction des documents judiciaires, littéraires, scientifiques ou privés.

La clef perdue des hiéroglyphes

Le hiératique n'est plus utilisé que pour les textes religieux sur papyrus, d'où ce nom de «hiératique», écriture sacrée, que lui donne Clément d'Alexandrie.

La fermeture des temples, au IVe siècle après J.-C. eut pour conséquence de faire de l'écriture égyptienne une écriture morte.

En effet, les *Maisons de vie* où, tant bien que mal, des scribes continuaient à copier des textes hiératiques et à composer des légendes hiéroglyphiques, se trouvent supprimées et leur personnel dispersé.

Dès le IIIe siècle avant J.-C., les Egyptiens avaient d'ailleurs abandonné d'eux-mêmes les écritures traditionnelles, trouvant plus commode d'écrire leur langue en caractères grecs, auxquels ils avaient ajouté quelques signes empruntés au démotique pour rendre les sons que le grec ne possédait pas.

Désormais, la clef des hiéroglyphes était perdue et il faudra attendre près d'un millénaire et demi pour que les inscriptions et les textes pharaoniques redeviennent intelligibles.

Des traductions délirantes

Nous ne citerons, pour mémoire, que les premières tentatives de déchiffrement.

Au XVIIe siècle, le jésuite allemand Athanase Kircher, inventeur de la lanterne magique, professeur à Würzburg et membre du *Collegium romanum*, publie, à Rome, quatre volumes de traductions hiéroglyphiques, qui se révéleront ne comporter aucune ligne exacte. Il y a des chefs-d'œuvre dans la «traduction» de cet excellent jésuite.

A propos d'un texte que l'on peut traduire par : « Durables sont les aspects que prend le dieu Rê, l'aimé de Rê », Kircher comprit : «La citadelle céleste des planètes est préservée de tous les malheurs par l'assistance du divin Osiris, l'Agatho-démon humide !»

Toutefois le jésuite a eu des intuitions justes, comme la dérivation de la langue copte des hiéroglyphes pharaoniques. Nous en reparlerons.

Au siècle suivant, un autre «traducteur», parisien cette fois et anonyme, déclare retrouver, dans les hiéroglyphes du temple de Dendérah, le psaume 100 de la Bible !

Dans le même temps, à Genève, paraît une brochure qui n'est guère moins fantaisiste. Son auteur prétend que l'obélisque de Pamphyle est le «récit, écrit 4000 ans avant le Christ, de la victoire des justes sur les méchants».

Enfin, l'abbé Tandeau de Saint-Nicolas prétend que les hiéroglyphes ne sont pas une écriture mais... une simple figure de décoration !

Vers la fin du XVIIIe siècle, les conclusions de certaines recherches semblent plus sérieuses. Le Suédois Akerblad, qui copie quelques hiéroglyphes au Caire, estime que ces signes font partie d'un alphabet et dresse un premier essai de celui-ci, dont certains éléments sont exacts.

Pour sa part, le Danois Zoéga affirme que les signes contenus dans les cartouches représentent des noms de rois, thèse appuyée par les orientalistes français de l'époque, l'abbé Barthélemy et Joseph de Guignes.

Ces deux conclusions, plus logiques que les précédentes, demeurent basées davantage sur l'intuition que sur un déchiffrement sérieux.

Et, malgré toutes les tentatives d'explication, les hiéroglyphes gardent jalousement leur secret.

Cent soixante-sept « lettrés civils »
recrutés par Bonaparte

Il faut attendre la campagne d'Egypte et... la pierre de Rosette pour que le déchiffrement de ces mystérieux caractères soit rendu possible.

Le 19 mai 1798, Bonaparte quitte Toulon et prend la direction d'Alexandrie.

Trois cent vingt-huit navires composent sa flotte qui ne transporte pas moins de trente-huit mille hommes parmi lesquels cent soixante-sept «lettrés civils», baptisés les «ânes» par l'équipage, ainsi qu'une bibliothèque contenant presque tous les ouvrages sur l'Egypte parus en France et en Europe.

Parmi ces «ânes», réunis par Bonaparte grâce à l'aide très efficace de Monge, il y a les astronomes Quesnot et Méchin; les géomètres Fourier, Costaz, Malus, de Villiers du Terrage, du Bois-Aymé et Viard; les chimistes Berthollet, Champy, Regnault et Descotils; les mécaniciens Conté et Cotelle; les architectes Balzac et Lepère; le géographe Lecesne; le zoologiste Geoffroy Saint-Hilaire; le botaniste Coquebert de Mombret; les médecins Desgenettes et Larrey; le minéralogiste Dolomieu; les dessinateurs Vivant-Denon, Joly, Dutertre et Redouté; le poète Perceval de Grandmaison; les orientalistes Belletête, Delaporte, Jaubert et Venture; les musiciens Rigel Et Villoteau.

Bonaparte, fasciné par l'Orient, imprégné d'histoire ancienne comme tous ses contemporains, aspire à suivre l'exemple des grands conquérants. Il ne se bornera pas à porter un coup à l'Angleterre ennemie en la coupant des Indes, il régénérera l'Egypte antique. Cette équipe ardente de savants a été réunie pour l'y aider; et, d'abord, elle fera progresser décisivement la connaissance du pays, de son histoire comme de son présent.

Entre deux batailles, l'Egypte est minutieusement étudiée

Le 1er juillet 1798, à l'aube, la flotte parvient à Alexandrie. Militaires, matelots, intellectuels, artistes, tous découvrent avec ravissement les rives de ce pays des «Mille et Une Nuits».

Le 21 juillet, vers deux heures de l'après-midi, les troupes sont devant Le Caire, défendu par les mameluks, que commande le gouverneur d'Egypte, Mourad Bey. Après quelques affrontements, les troupes de Bonaparte, galvanisées par sa fameuse phrase : «Du haut de ces pyramides, quarante siècles vous contemplent», entrent victorieuses dans la ville. Nous sommes alors le 25 juillet. Le contrôle de la route des Indes, objet direct de l'expédition, paraît assuré.

Mais, le 1er août, a lieu la bataille d'Aboukir qui marque la fin des illusions françaises en Egypte. La flotte anglaise de Nelson anéantit l'escadre française de l'amiral Brueys.

Les troupes françaises sont en quelque sorte prisonnières dans cette Egypte qu'elles ne peuvent plus quitter et où elles ne peuvent plus être secourues. Les savants français vont profiter de la situation pour réunir une documentation exceptionnelle, sous le contrôle, depuis Le Caire, de l'Institut d'Egypte, fondé le 28 août 1798 par Bonaparte.

C'est dans toutes les régions du pays que les savants partent en quête. Entre deux batailles, ils s'installent devant un monument, crayonnent, font des relevés, prennent des notes, interrogent la population. De juin 1798 à septembre 1802, l'Egypte est étudiée sous tous ses aspects.

«Les hiéroglyphes : un problème insoluble» (Sacy)

Quelques années plus tard, de 1809 à 1828, la somme de ces connaissances est regroupée dans un recueil intitulé *Description de l'Egypte* qui comporte dix gros volumes in-folio de textes et douze gros volumes in-folio de dessins[1].

Cet ouvrage ne pèse pas moins de cent vingt-six kilos et l'importance

---

1. Ces dessins étaient, pour la plupart, des dessins de Dominique Vivant-Denon dont on disait qu'«il courait aux monuments comme des soldats à la bataille». Les dessins qu'il fit des monuments égyptiens constituèrent, durant longtemps, une mine inépuisable pour les savants. Vivant-Denon s'était acquis sous la monarchie une réputation plus immorale en publiant des petits romans érotiques que l'on échangeait «sous le manteau». Il devint ensuite directeur du musée du Louvre, qu'il enrichit de chefs-d'œuvre acquis lors des victoires de Napoléon.

donnée aux dessins et aux relevés nécessite la mise au point d'un papier au format spécial, gigantesque, le *grand-Egypte*.

Berthollet préside, le premier, à l'élaboration de cet ouvrage. Conté lui succède, puis Lancret et François Jomard.

La *Description de l'Egypte* a un retentissement considérable en Europe. Les Occidentaux découvrent un monde qui leur est presque totalement inconnu et qui le restera pour une grande part, tant que le casse-tête posé par les hiéroglyphes ne sera pas résolu.

Or, l'illustre orientaliste parisien Sylvestre de Sacy ne déclare-t-il pas «le problème est trop compliqué, insoluble scientifiquement». Un événement, apparemment anodin, va cependant contredire Sacy.

Coup de pioche historique

Lors de la débâcle de la flotte française devant Aboukir, Bonaparte, craignant un débarquement des troupes anglaises, a fait creuser des tranchées dans le delta du Nil et exigé que les forts y soient renforcés afin d'assurer une meilleure défense.

Au cours des travaux de réfection de l'un des forts, dans les premiers jours de juillet 1799, un soldat, stationné au fort de Saint-Julien, situé à sept kilomètres au nord-ouest de la ville de Rosette, heurte du fer de sa pioche un objet.

Quelle n'est pas sa surprise de constater que l'objet ainsi mis au jour, une stèle, comporte des inscriptions comme celles qu'il a pu déjà observer sur certains monuments. Il alerte son officier, le capitaine du génie Bouchard, qui décide aussitôt de mettre la stèle en sûreté.

De basalte noir, d'une épaisseur de moins de trente centimètres, cette stèle est bientôt connue sous le nom de pierre de Rosette, ou Rosettana. Elle comporte trois inscriptions superposées, en trois écritures différentes : en haut, quatorze lignes de caractères hiéroglyphiques, au milieu, trente-deux lignes écrites en cursive ou démotique, enfin, dans le bas, un texte de cinquante-quatre lignes rédigé en grec.

On pense tout de suite que le grec, parfaitement lisible et traduisible, peut servir à percer les secrets des deux autres langues.

La disposition des trois textes permet, en effet, de supposer que leurs contenus sont semblables.

Le providentiel décret de Ptolémée V

Le texte grec est aussitôt traduit. Il s'agit d'un décret de l'époque du roi Ptolémée V Epiphane, promulgué à Memphis, en 196 avant J.-C.

Il contient les remerciements des prêtres de Memphis au roi Ptolémée Epiphane qui, lors de son accession récente au trône, avait accordé aux prêtres une série d'avantages tels que rémission d'arriérés d'impôts, allocations de sommes importantes, protection des temples en cas de guerre. Enfin, Ptolémée avait envoyé au dieu Apis, c'est-à-dire à son clergé, un don qui dépassait en valeur tous ceux jusqu'alors consentis par les rois d'Egypte.

Après être passée dans diverses mains, la stèle de Rosette parvient à Alexandrie. Le général Menou, qui bientôt commandera l'expédition française après Bonaparte, rentré en France, et Kléber, assassiné, pressent l'importance de la découverte. Il met la stèle précieusement de côté. Elle va pourtant échapper à la France.

Un détachement d'artillerie et un triqueballe pour récupérer la stèle de Rosette

L'expédition française, en effet, échoue. Les Anglais battent Menou à Canope, en mars 1801. Les forces françaises capitulent au Caire le 27 juin 1801. L'Angleterre victorieuse, confisque, en vertu de l'article 16 de l'acte de reddition d'Alexandrie, toutes les antiquités collectées par la France sur le territoire égyptien. «Les membres de l'Institut, stipule l'article, peuvent emporter avec eux tous les instruments d'art et de science qu'ils ont apportés de France; mais les manuscrits arabes, les statues et autres collections qui ont été faites pour la République française, seront considérés comme propriété publique et seront à la disposition des généraux des armées combinées.»

Sir Tomkyns Hilgrove Turner, chargé de récupérer ces précieux trésors archéologiques, réclame avec insistance, aux Français, la stèle de Rosette.

Le général Menou, arguant que la pierre est sa propriété personnelle, refuse de la remettre aux Anglais. «Lorsque les militaires français

eurent compris que nous allions nous saisir des antiquités, raconte
Turner[1], l'emballage protecteur de la pierre fut arraché, elle fut jetée
sur sa face, et les caisses de bois des autres objets furent brisées.
Des précautions infinies avaient, en effet, été prises dès l'abord, pour
préserver les objets anciens de toute dégradation. Je fis plusieurs fois
des remontrances, mais les principales difficultés que je rencontrai
furent au sujet de cette pierre (…)

»Lorsque je racontai à lord Hutchinson la manière dont la pierre
avait été traitée, il me donna un détachement d'artillerie et un
triqueballe, pour me rendre chez le général Menou. Je pris, ce même
soir, possession de la pierre, sans dommage mais avec quelques
difficultés dans le transport, par les rues étroites, et parmi les sarcasmes
des hommes et des officiers français.»

La pierre de Rosette offerte au roi George III

Avant que la stèle soit embarquée pour l'Angleterre, une délégation
de savants français, dirigée par Marcel et Galland, se présente chez
Turner. Ils demandent à prendre des empreintes de la stèle afin
qu'ils puissent, eux aussi, l'étudier.

Turner n'accepte qu'à condition que la stèle ne souffre pas de
l'opération. Marcel, responsable de l'imprimerie de l'expédition, imagine alors d'utiliser la face écrite de la pierre comme une gravure
et de l'enduire d'encre. Les épreuves ainsi obtenues donnent un
nombre important de copies, en un minimum de temps.

Et c'est ainsi que plusieurs copies de la stèle de Rosette arrivent
à Paris, tandis que l'original parvient à Londres sous la conduite de
lord Hutchinson lui-même. Cet original de la stèle est remis au roi
George III qui le lègue au British Museum.

Dès lors, dans tous les pays, des hommes se penchent sur les
dessins, copies, moulages de la stèle de Rosette. Chacun tente
d'élucider son secret.

---

1. Compte rendu des transactions de la pierre de Rosette, rédigé par
H. Turner et adressé au secrétaire de la *Society of Antiquaries* de Londres,
le 30 mai 1810.

Certaines interprétations des hiéroglyphes sont, à nouveau, des plus excentriques. Citons, pour exemple, le compte Paulin qui affirme avoir déchiffré, *en une nuit*, les caractères hiéroglyphiques de la stèle, grâce à Horapollon[1], aux doctrines pythagoriciennes et à la Kabbale !

D'autres études sont plus intéressantes. Le philologue et diplomate suédois Akerblad parvient, à partir de l'écriture démotique de la stèle, à associer à l'écriture grecque les vocables égyptiens «temple» et «grecs».

L'Anglais Thomas Young, de son côté, physicien, médecin et philologue, reconnaît le hiéroglyphe du roi Ptolémée et dresse, à partir de cette conclusion, la liste de deux cent vingt-et-un groupes symboliques dont soixante-seize seront, plus tard, reconnus exacts.

Mais ces quelques résultats ne permettent pas d'affirmer que le problème de la traduction des hiéroglyphes est résolu.

---

1.   Le compilateur grec Horapollon tenta, au IVe siècle avant J.-C. de déchiffrer, en vain, les hiéroglyphes.

Ce vase à onguents, en albâtre, incrusté d'or et d'ivoire, représente
un lion grimaçant qui est le dieu Mahès. Il lui est dévolu le soin
d'offrir les onguents parfumés indispensables au rite de la renaissance.
Son attitude est au plus haut point magique : c'est celle d'un gardien
terrible et menaçant. Musée du Caire. *Famot.*

CHAPITRE II

CHAMPOLLION,
VICTIME DE LA VENGEANCE
DES PHARAONS?

L'HOMME qui perça, un jour, le mystère des hiéroglyphes n'est qu'un adolescent lorsque le *Courrier de l'Egypte* publie, le «29 fructidor, VIIe année de la République» un article relatif à la découverte faite à Rosette, le «2 fructidor, an 7». Mais, déjà, il fait preuve de dispositions intellectuelles exceptionnelles.

Ce génie, au nom désormais lié à l'égyptologie, s'appelle Jean-François Champollion. Sa naissance, elle-même, tient du prodige.

L'étonnante prédiction de Jacquou le sorcier

Au milieu de l'année 1790, l'épouse du libraire Jacques Champollion, de Figeac en Guyenne, est au plus mal. Son corps, paralysé, ne lui obéit plus. Elle doit demeurer continuellement au lit. Son mari appelle, sans résultat, le médecin. Il décide alors, comme il est courant à cette époque en Guyenne, de faire appel au sorcier.

Le lendemain, Jacquou, le guérisseur qui opère dans la région de Figeac, est au chevet de la malade. Il la palpe, la questionne, puis se fait apporter des herbes brûlantes qu'il étale sur la couche de la patiente.

— Allongez-vous sur ces herbes et buvez-moi ce verre de vin chaud, ordonne-t-il à la malade. Dans trois jours, votre mal aura disparu... De plus, je vous prédis la naissance prochaine d'un garçon. Il atteindra la plus haute renommée et sera la lumière des siècles à venir!

De fait, trois jours plus tard, la malade est sur pied et quelques mois après, le 23 décembre 1790, à deux heures du matin, naît un garçon que l'on baptise Jean-François.

Le médecin qui procède à l'accouchement remarque que le nouveau-né possède une cornée jaune comme celle des Orientaux et que son teint, très foncé, presque mat, ainsi que ses traits, rappellent étrangement le visage d'un Oriental[1]...

A cinq ans, il sait lire

Dès ses premières années, Jean-François étonne son entourage.

A l'âge de cinq ans, il est capable de lire des passages entiers de la Bible alors que personne ne lui a jamais enseigné la lecture. C'est que, seul, délaissant soldats de bois et toupies, il s'exerce à lire en comparant les textes écrits et les passages de la Bible que lui lit sa mère, chaque soir, et qu'il retient par cœur.

Il a sept ans lorsqu'il entend, pour la première fois, le mot «Egypte». Son frère, Jacques-Joseph[2], de douze ans son aîné, est un fervent admirateur de l'Egypte. Il a étudié l'histoire de l'art égyptien et rêve de faire partie de l'expédition organisée par Bonaparte. Devant le refus qu'on lui oppose, Jacques-Joseph décide de s'installer à Grenoble où il se consacre à des travaux archéologiques.

Il n'hésitera pas à sacrifier sa carrière à celle de Jean-François dont il est le premier à reconnaître le génie précoce.

En 1801, l'enfant, qui est donc dans sa onzième année, part rejoindre son frère à Grenoble. Ce dernier, en effet, estime que le climat de cette ville conviendra mieux à Jean-François dont les résultats scolaires sont, jusqu'alors, médiocres.

---

1.   Quelques années plus tard, ces caractéristiques amèneront les amis et relations de Champollion à le surnommer «l'Egyptien»!
2.   Jacques-Joseph se fera appeler plus tard Champollion-Figeac afin de se différencier de son frère, Champollion-le-jeune.

Jean-François devant les hiéroglyphes : « Moi, je les lirai ! »

Il est bon de préciser que Jean-François excelle toutefois dans un domaine : les langues.

Il maîtrise déjà, d'une façon stupéfiante, le grec et le latin. A son arrivée à Grenoble, il entreprend l'étude de l'hébreu.

Lors d'une inspection d'école, Fourier qui, on l'a vu, faisait partie de l'expédition d'Egypte, interroge Jean-François qui, bercé par les propos enflammés de son frère sur l'Egypte, s'intéresse depuis quelque temps déjà à tout ce qui s'y rapporte.

Jean-François est un adolescent chétif, à l'aspect presque maladif, mais il est rarement intimidé.

Fourier est stupéfait par la maturité et la culture de cet écolier. Il l'invite donc chez lui et dévoile, devant ses yeux ébahis, les antiquités qu'il a rapportées d'Egypte.

— Peut-on lire tout cela ? interroge Jean-François en regardant un papyrus couvert d'hiéroglyphes.

— Non, répond Fourier, pas encore. Je crains qu'il ne s'écoule de nombreuses années avant que cela ne soit réalisable !

Les sourcils froncés, les deux poings serrés, Jean-François proclame alors :

— Moi, je le lirai ! Dans quelques années, quand je serai plus grand.

A dix-sept ans, Champollion parle douze langues !

Outre cette passion pour l'Egypte, le jeune Champollion fait montre d'une curiosité insatiable dans une foule de domaines.

A douze ans, par exemple, il écrit son premier ouvrage, *Histoire des chiens célèbres.*

A treize ans, sa connaissance s'enrichit de nouvelles langues. Il apprend l'arabe, le syrien, le chaldéen et surtout le copte, la langue des Egyptiens chrétiens. Il est persuadé que le jésuite Kircher avait raison d'y voir l'étape finale de la langue parlée des pharaons.

Grâce à l'appui de Fourier, il se procure des textes zends, pahlavis, parsis qu'il consulte avec fièvre. Il trace la première carte de l'empire des pharaons.

Son savoir linguistique ne cesse de croître. A dix-sept ans, il est capable de parler douze langues, dont la majorité couramment. Celle qui lui est la plus familière est, sans aucun doute, le copte :

« Je suis si copte, écrit-il, que pour m'amuser je traduis en copte tout ce qui me vient à la tête. Je parle copte tout seul, vu que personne ne m'entendrait. »

Membre de l'Académie de Grenoble à dix-sept ans

Jean-François pressent qu'il lui faut aller à Paris. Là, il pourra consulter des documents que ne peuvent lui procurer les établissements de Grenoble.

Mais l'Académie de Grenoble lui réclame une thèse. Jean-François présente l'introduction du livre qu'il est en train d'écrire, *L'Egypte sous les pharaons*[1]. La thèse est solidement étayée et exposée en termes clairs.

L'Académie est subjuguée. Le jeune homme est élu à l'unanimité membre de cette docte assemblée. Le président Renaudon le serre dans ses bras et lui déclare :

— Si l'Académie vous reçoit parmi ses membres malgré votre jeune âge, c'est en considération de ce que vous avez fait. Mais elle compte encore davantage sur ce que vous êtes capable de faire ! Elle est convaincue que vous justifierez ses espoirs et que vous vous rappelerez, le jour où vos travaux vous auront fait un nom, que c'est elle qui vous a prodigué les premiers encouragements.

A corps perdu dans l'étude

Quelques jours plus tard, Jean-François est en route pour Paris. Son frère l'accompagne.

---

1. Ce livre sera achevé à la fin de l'année 1808 et publié six ans plus tard, en 1814. Il établit la géographie de l'Egypte à partir de documents coptes. L'introduction fut tirée à part dès 1811, à trente exemplaires, avec un tableau synonymique des noms coptes, grecs et vulgaires des villes de l'Egypte.

Durant le voyage, qui dure soixante-dix heures, Jacques-Joseph lui explique ce que sera sa vie à Paris.

— Tu es inscrit au Collège de France. Dès demain, je te présente à ton futur professeur, M. de Sacy... Je t'ai trouvé une chambre près du Louvre. La logeuse, Mme Mécran, est une brave femme qui m'a été recommandée. Le prix modique du loyer qu'elle exige te permettra de pouvoir dépenser un peu plus dans tes achats de livres.

Jean-François rêve déjà à ces achats de livres et aux merveilleuses bibliothèques qu'il va pouvoir consulter dans la capitale.

Son frère reparti pour Grenoble, Jean-François se jette à corps perdu dans l'étude. Il court de bibliothèque en bibliothèque, d'institut en institut. Tout comme lorsqu'il était enfant, il se prive de distractions. Et il préfère l'atmosphère poussiéreuse des archives aux conversations de salons.

« Pour se distraire », il réclame une grammaire chinoise à son frère. Il manque d'argent. Jacques-Joseph l'aide autant qu'il peut, mais ce n'est pas suffisant. Au cours de l'hiver 1807, il est atteint d'une grave maladie dont il sort très affaibli.

L'imposture d'Alexandre Lenoir

Au début de l'année 1808, Napoléon, qui se lance dans la dangereuse aventure espagnole, appelle sous les drapeaux tous les hommes à partir de seize ans. Alors Jean-François se révolte :

— Déjà tout ce temps perdu à cause de cette maladie ! Je ne peux pas me permettre d'abandonner une fois encore mes études !

Il écrit à son frère des lettres désespérées. Jacques-Joseph, à nouveau, intervient. Il expédie lettres sur lettres à ses amis, ses relations, rédige des pétitions et parvient, enfin, au résultat escompté : Jean-François est dispensé du service militaire.

Ses travaux l'amènent bientôt à une première conclusion concernant les hiéroglyphes : cette écriture n'est pas uniquement constituée de symboles. En comparant une copie récente de la pierre de Rosette à un papyrus écrit en copte, il découvre en effet huit pronoms personnels auxquels correspondent des signes phonétiques analogues.

Jean-François exulte. Ses recherches commencent à porter leurs fruits! N'y tenant plus, il sort prendre l'air, jouissant pleinement, pour la première fois depuis longtemps, de Paris qui l'entoure. Au cours de sa promenade, il rencontre l'un de ses amis qui paraît fort excité :

— Savez-vous la nouvelle ? lui dit cet ami. Alexandre Lenoir a trouvé la clé du mystère des hiéroglyphes.

Jean-François est atterré :

— Non… ce… ce n'est pas possible !

— Mais si, poursuit l'ami. Ses travaux sont parus dans la *Nouvelle explication*, ce matin même.

Jean-François se précipite dans un kiosque et achète la brochure. Rentré chez lui, il dévore le texte.

Soudain, un rire convulsif, nerveux, le secoue. Cet Alexandre Lenoir n'est qu'un vaniteux et son «interprétation complète des hiéroglyphes» une gigantesque imposture ! Jean-François peut poursuivre ses travaux: le mystère demeure entier.

Tout à la fois politicien, savant et homme de lettres

Le 10 juillet 1809, Champollion repart pour Grenoble où il a obtenu le poste de professeur d'histoire à l'université. Il est alors âgé de dix-neuf ans ! Ses élèves n'ont guère moins de dix-sept ans. Inévitablement, ses confrères le jalousent, d'autant que les théories révolutionnaires qu'il énonce durant ses cours ont de quoi inquiéter. De plus, chacun sait, à Grenoble, qu'il hait Napoléon (il est l'auteur de certaines satires à son encontre) et que sa haine n'est pas moins grande à l'égard des Bourbons.

A force d'intrigues où se mêlent politique, intérêts personnels et commérages, ses ennemis réussissent à faire réduire le traitement du jeune professeur. Alors, pour arrondir ses fins de mois, Champollion écrit des pièces de théâtre, notamment une *Iphigénie*, compose des sonnets, des mélodies, des chansons révolutionnaires, qu'il essaie de vendre tant bien que mal.

Exilé pour haute trahison

Mais voici les Cent-Jours.

Le 7 mars 1815, Napoléon, en route pour Paris, fait une halte à Grenoble. Il est à la recherche d'un secrétaire. Grâce au maire de Grenoble, Jacques-Joseph, toujours fervent admirateur de Napoléon quant à lui, obtient la place.

Champollion assiste à l'entrevue qui a lieu entre son frère et Napoléon. L'empereur, qui veut en savoir plus sur ce jeune savant que l'on dit passionné d'égyptologie, l'interroge longuement et apprend ainsi qu'il travaille à l'élaboration d'un dictionnaire copte. Il promet de le faire imprimer[1].

Mais les Cent-Jours s'achèvent bientôt. Les Bourbons rentrent à Paris. Napoléon est exilé à Sainte-Hélène et Jacques-Joseph est poursuivi pour avoir servi de secrétaire à l'usurpateur.

Jean-François, quant à lui, n'est guère en meilleure posture. Fidèle à ses convictions, il incite la population grenobloise à la résistance, lors du siège de cette ville par les royalistes. Cet acte lui vaut d'être exilé pour haute trahison. Son exil dure un an et demi. Lorsqu'il revient en France, en 1817, il séjourne alternativement à Paris et à Grenoble, fuyant les créanciers qui le harcèlent.

En dépit de ces circonstances difficiles, le jeune savant n'abandonne pas pour autant ses travaux sur l'Egypte.

« Le cartouche du nom féminin ne pouvait être que celui d'une Cléopâtre »

Il est le premier à démontrer, dans deux mémoires qu'il adresse à l'Académie royale des Inscriptions et Belles-Lettres, que les écritures hiératique et démotique sont des écritures, non pas alphabétiques, mais idéographiques.

---

1. Ce projet de publication d'un dictionnaire copte ne vit pas le jour à cause de la jalousie des confrères de Champollion. Celui-ci écrivait : « Voilà mon projet livré à la dent des loups dévorants, à la griffe de mes critiques ordinaires. »

Fort de ce nouveau succès, Champollion travaille sans relâche, à présent, sur les hiéroglyphes. Il les apprend par cœur, cherche à percer leur structure.

A la fin de l'été 1822, il décide de comparer l'hiéroglyphe du roi Ptolémée trouvé par Thomas Young aux hiéroglyphes d'un obélisque mis au jour à Philae – une île située à l'entrée de la première cataracte du Nil – par l'architecte Banks. Sur cet obélisque, exposé à Londres, figurent également le nom de Ptolémée suivi d'un autre cartouche qu'il suppose être celui de Cléopâtre : « Le texte hiéroglyphique de l'inscription de Rosette, expliquera plus tard Champollion[1], qui se serait prêté si heureusement à cette recherche, ne présentait, à cause de ses fractures, que le seul nom de Ptolémée.

» L'obélisque trouvé dans l'île de Philae (...) contient aussi le nom hiéroglyphique d'un Ptolémée, conçu dans les mêmes signes que dans l'inscription de Rosette, également renfermé dans un cartouche, et il est suivi d'un second cartouche, qui doit contenir nécessairement le nom propre d'une femme, d'une reine lagide, puisque ce cartouche est terminé par les signes hiéroglyphiques du genre féminin, signes qui terminent aussi les noms propres hiéroglyphiques de toutes les déesses égyptiennes sans exception. L'obélisque était lié, dit-on, à un socle portant une inscription grecque qui est une supplique des prêtres d'Isis à Philae, adressée au roi Ptolémée, à Cléopâtre sa sœur, et à Cléopâtre sa femme. Si cet obélisque et l'inscription hiéroglyphique qu'il porte étaient une conséquence de la supplique des prêtres qui, en effet, y parlent de la consécration d'un monument analogue, le cartouche du nom féminin ne pouvait être nécessairement que celui d'une Cléopâtre. »

Champollion identifie douze lettres

Or, en grec, les noms propres Cléopâtre et Ptolémée ont quelques lettres semblables. Et si les signes similaires existant dans ces deux noms expriment dans l'un et l'autre des cartouches les mêmes sons,

---

1.   *Lettre à M. Dacier, relative à l'alphabet des hiéroglyphes phonétiques*, septembre 1822.

cela revient à dire que leur nature est entièrement phonétique. «Une comparaison préliminaire, poursuit Champollion, nous avait aussi fait reconnaître que, dans l'écriture démotique, ces deux mêmes noms écrits phonétiquement employaient plusieurs caractères tout à fait semblables. L'analogie des trois écritures égyptiennes, dans leur marche générale, devait nous faire espérer la même rencontre et les mêmes rapports dans ces mêmes noms écrits hiéroglyphiquement. C'est ce qu'a aussitôt confirmé la simple comparaison du cartouche hiéroglyphique renfermant le nom de Ptolémée avec celui de l'obélisque de Philae, que nous considérions, d'après l'inscription grecque, comme contenant le nom de Cléopâtre.»

Grâce à cette comparaison, les hiéroglyphes *Ptolemaios* et *Kleopatra* sont mis au jour et Champollion découvre douze lettres : p, t, l, m, i, s, k, e, a, r, o, et un second t.

«Je tiens l'affaire!» s'exclame Champollion

Malgré ce succès très remarquable, Champollion n'est pas au bout de ses peines. De nombreux signes restent inexpliqués.

Il poursuit donc ses recherches. Le 14 septembre 1822, son ami, l'architecte Jean-Nicolas Huyot, lui remet deux copies de cartouches portant des noms de pharaons, relevés en Basse Nubie.

Sur la première de ces copies figure un ibis, animal du dieu Thot, et sur la seconde un soleil. D'emblée, Champollion rapproche ces deux symboles de deux noms de pharaons célèbres : Thoutmès et Ramsès.

Or il remarque qu'un deuxième élément est le même dans les cartouches. Champollion se dit : il n'est pas exclu que cet élément corresponde au son *mès* !

Et, soudain, tout s'éclaire :

– Je tiens l'affaire! s'écrie-t-il. Il y a des signes sons, mais il existe aussi des signes d'idées et des signes groupant deux consonnes.

Lâchant brusquement papiers et crayons, il court annoncer la nouvelle à son frère à la bibliothèque de l'Institut.

L'émotion, une fois encore, est trop forte : «En ce moment, écrira plus tard son frère, un affaissement physique et moral s'empara tout à coup de l'auteur de l'immortelle découverte ; ses jambes ne le soutenaient plus, son esprit se trouva saisi d'une sorte d'assoupissement. On le coucha, ce fut comme un premier instant de repos, après quinze années de combinaisons fatigantes.»

Sa syncope dure soixante heures. Mais, dès le 27 septembre 1822, Champollion remet à son éditeur le texte de sa fameuse *Lettre à M. Dacier, relative à l'alphabet des hiéroglyphes phonétiques*, rédigée en trois jours. Puis il se rend au siège de l'Académie des Inscriptions où, devant les académiciens ébahis, il lit pour la première fois ce mémoire où, en 52 pages, se trouve donné l'alphabet hiéroglyphique complet, ainsi que l'exposé de tout le système de l'écriture égyptienne. La *Lettre* est aujourd'hui une relique vénérée, pour tous les égyptologues.

Champollion défendu par le pape

Avant la fin de l'année 1823, un *Précis du système hiéroglyphique*, développement de la *Lettre à M. Dacier*, est prêt. Le livre, toutefois, ne paraît qu'à la mi-avril 1824. Pièces en mains, les savants peuvent juger définitivement de l'extraordinaire découverte.

Certains d'entre eux persistent à penser que Champollion n'a pas résolu tout à fait le problème. Les «Hyksos» et les «Impurs», comme les appelle le jeune savant, sont fort nombreux.

Il y a les incrédules, comme Etienne Quatremère, qui condamnent sans examen le nouveau système. Il y a des adversaires de mauvaise foi, comme Klaproth, le «Tartare», qui n'étudie la découverte de l'«Egyptien» que pour la combattre avec un acharnement qui ne cessera même pas à la mort de Champollion. Il y a les dépités, ceux dont les «systèmes» ont été réduits en miettes par la découverte de Champollion, comme Spohn, Seyffarth, Goulianoff, Köller, Ungarelli, Lanci. Il y a aussi certains théologiens, qui se prennent à trembler pour la Bible dont la chronologie risque d'être remise en question; l'écho de leurs craintes monte du reste jusqu'au pape, qui, contrairement au souhait de ces théologiens, ne se montre pas inquiet pour la Bible et n'hésite pas à défendre avec force Champollion «qui a mis un terme à la zodiacomanie[1]». Il y a enfin, la foule de ceux qui ne peuvent se départir des idées toutes faites.

Sylvestre de Sacy rend hommage à Champollion

De son côté, l'Anglais Thomas Young s'estime lésé. N'a-t-il pas réussi à identifier certaines lettres? N'a-t-il donc pas précédé en quelque sorte Champollion dans le déchiffrement des hiéroglyphes?

Bien sûr, les ennemis du jeune savant apportent leur concours à Thomas Young. «Monsieur Champollion, écrit Goulianoff, veut faire croire au monde entier qu'il est le premier à avoir percé le mystère des hiéroglyphes. Et les travaux de Thomas Young? N'ont-ils pas en réalité la priorité? Ne doit-on pas reconnaître à l'égyptologue anglais le mérite de cette découverte?»

Heureusement, il y a ceux que la jalousie n'aveugle pas. Et parmi eux le grand Sylvestre de Sacy. Dans le *Journal des Savants* de mars 1825, il écrit en effet: «Champollion a, à mon avis, complètement démontré que, malgré quelques légers points de contact entre les résultats des conjectures de M. le docteur Young et ceux qu'il a d'abord obtenus de la découverte dont l'honneur lui est dû, leurs manières de procéder sont essentiellement différentes l'une de l'autre; et qu'en adoptant pour base du déchiffrement les idées fondamentales de M. Young, on se serait égaré dans une fausse direction, et on n'eût fait qu'augmenter le nombre des conjectures hasardées dont les hiéroglyphes ont été l'objet. Nous croyons que ce jugement sera confirmé par tous les savants, de quelque nation que ce soit, qui examineront avec impartialité les droits respectifs de M. Young et de M. Champollion, à l'honneur d'avoir découvert la route qui peut conduire à l'intelligence des anciens monuments écrits de l'Egypte.»

---

1.   Les contempteurs de la Bible, au début du XIXe siècle, s'étaient fondés sur le zodiaque égyptien de Dendérah pour la critiquer. Champollion avait montré que ce zodiaque n'appartenait pas à l'ancienne Egypte, datant au plus tôt du début de l'occupation romaine des pays du Nil. Ce zodiaque (sculpté) de Dendérah avait été transporté en 1822 au musée du Louvre.

Une querelle envenimée par les journalistes

En dépit de ces attaques successives menées par son principal adversaire, Young, Champollion n'en estime pas moins le savant anglais. Il va même jusqu'à tenter de se réconcilier avec lui. « Je suis disposé, écrit-il à un ami, a rendre justice entière au Dr Young et ce n'est pas moi qui remuerai jamais cette querelle littéraire, qu'il eût mieux valu laisser suivre par les intéressés eux-mêmes. Ce sont les journalistes seuls qui l'ont envenimée. Pour moi je n'y pense plus et suis tout disposé à reprendre avec M. Young, qui le premier a cessé d'avoir des relations de correspondance avec moi, tous les anciens rapports d'amitié que je lui avais voués. La science ne pourrait que gagner à ce bon accord et je viens de faire le premier pas en lui écrivant pour lui offrir mes services à Paris et lui procurer les calques ou dessins de monuments qui peuvent l'intéresser. Il ne tient qu'à lui de nous retrouver sur l'ancien pied et vous me rendrez toute justice si la chose ne tourne point comme je le souhaite dans la sincérité de mon cœur. »

Un rapprochement plein de sagacité

Quelques années plus tard, Champollion, dans son *Discours d'ouverture du cours d'archéologie du Collège royal de France*, le 10 mai 1831, rend même hommage à Young « dont les utiles recherches assureront à l'Angleterre une noble part à l'avancement des études égyptiennes ».

Puis Champollion explique les théories de Young : « Ce savant apporta dans l'examen comparatif des trois textes du monument de Rosette, un esprit de méthode éminemment exercé aux plus hautes spéculations des sciences physiques et mathématiques. Il reconnut, par une comparaison toute matérielle, dans les portions encore existantes de l'inscription démotique et de l'inscription hiéroglyphique, les groupes de caractères répondant aux mots employés dans l'inscription grecque. Ce travail, résultat d'un rapprochement plein de sagacité, établit enfin quelques notions certaines sur les procédés propres aux diverses branches du système graphique égyptien et sur leurs liaisons respectives ; il fournit des preuves matérielles à l'assertion des anciens relativement à l'emploi de caractères figuratifs et symboliques dans l'écriture hiéroglyphique ; mais la nature intime de cette écriture, ses rapports avec la langue parlée, le nombre, l'essence et les combinaisons de ses éléments fondamentaux, restèrent encore incertains dans le vague des hypothèses.»

«Le chemin de Memphis et de Thèbes passe par Turin»

A peine Champollion a-t-il rédigé son *Précis du système hiéro-glyphique*, qu'il songe déjà à poursuivre ses travaux en rédigeant une grammaire.

Or, les documents dont il dispose sont insuffisants. Outre les copies de la pierre de Rosette et de l'obélisque de Philae, les seuls textes qui soient disponibles à cette époque, en France, sont quelques copies de textes hiéroglyphiques provenant de la tombe de Séthi Ier, le père du grand Ramsès II.

Depuis quelque temps déjà, Champollion songe à se rendre en Italie pour y consulter les documents qui lui font défaut. Grâce à la géné-reuse amitié du duc de Blacas, confident intime de Louis XVIII et grand mécène des archéologues, il réussit à se rendre à Turin, véritable capitale des papyrus depuis qu'y était arrivée la magnifique collection d'antiquités égyptiennes recueillie par Drovetti et acquise par le roi de Sardaigne-Piémont.

Là, c'est l'émerveillement. «Le chemin de Memphis et de Thèbes passe par Turin», écrit-il. Après avoir longuement étudié de nombreux documents écrits égyptiens, Champollion démontre que les écritures égyptiennes se sont modifiées au cours des siècles et se sont diffé-renciées selon les usages auxquels on les destinait.

A son retour de Turin, il fait acquérir par la France la collection d'antiquités égyptiennes réunie par Salt, collection qu'il présente au public, à Paris, en 1826, année où il obtient le poste de conservateur du département d'égyptologie du Louvre.

Mais le voyage en Italie n'a fait qu'attiser sa soif de l'Egypte. Cette Egypte, si riche de monuments écrits, la verra-t-il un jour?

«Je lis les hiéroglyphes plus couramment encore que je n'osais l'imaginer»

Ce voyage tant convoité se concrétise enfin, en juillet 1828.

Une expédition franco-toscane réunissant quatorze membres, dont Champollion, part pour Alexandrie qu'elle atteint le 18 août.

Pour Champollion, c'est le choc. Non seulement à cause des monuments qu'il explore mais aussi parce qu'il voit triompher ses théories, au fur et à mesure de ses découvertes. «Je suis si fier, écrit-il à son frère, maintenant que, ayant suivi le cours du Nil depuis son embouchure jusqu'à la deuxième cataracte, j'ai le droit de vous annoncer qu'il n'y a rien à modifier dans notre *Lettre sur l'alphabet des hiéroglyphes*. Notre alphabet est bon: il s'applique avec un égal succès, d'abord aux monuments égyptiens du temps des Romains et des Lagides, et ensuite aux inscriptions de tous les temples, palais et tombeaux des époques pharaoniques.»

Ses désirs sont comblés au-delà de tout espoir: «Jeté depuis six mois au milieu des monuments de l'Egypte, exulte-t-il, je suis effrayé de ce que j'y lis plus couramment encore que je n'osais l'imaginer.»

La mort de Champollion: une vengeance des pharaons?

Un fait cependant l'inquiète: il constate la destruction de quatorze temples anciens par des fanatiques musulmans.

Champollion tente de convaincre Méhémet Ali, le maître d'Egypte, de la nécessité de lutter contre ces actes de vandalisme. «Il serait plus que temps de mettre un terme à ces barbares dévastations, expose-t-il. Dans ce but désirable, Son Altesse pourrait ordonner qu'on n'enlevât, sous aucun prétexte, aucune pierre ou brique dans les monuments antiques existant encore.»

Il repart, en décembre 1829, sans avoir eu l'occasion de voir Méhémet Ali prendre sérieusement l'affaire en main. Il faudra attendre une vingtaine d'années encore pour que le grand archéologue français Mariette obtienne que soit assurée la sauvegarde des monuments anciens.

Une deuxième ombre marque ce voyage en Egypte. Alors que le bateau qui ramène l'expédition atteint Toulon, équipage et passagers sont consignés à bord et astreints à une quarantaine. Le bateau n'est pas chauffé, alors que l'on se trouve au cœur de l'hiver. La santé vacillante de Champollion s'en ressent terriblement.

En 1831, il est nommé professeur au Collège de France mais il ne peut, hélas, déjà plus assurer des cours. Il se contente de donner des conférences.

Le 4 mars 1832, Jean-François Champollion meurt à l'âge de quarante-deux ans. La cause de sa maladie n'a jamais pu être déterminée avec précision. Certains n'ont pas hésité à l'attribuer à la… vengeance des pharaons. «On ne lève pas impunément le voile sur les secrets de l'écriture de l'Egypte, écrit l'ésotériste Jacques Roubet. Champollion a payé de sa vie son intrusion dans les mystères sacrés des pharaons.

»Fut-il arrêté brutalement au moment de pénétrer dans la «zone interdite» des sciences occultes égyptiennes?

»Etait-il sur le point de découvrir certains secrets que personne ne devait approcher? La mort de Champollion demeure une énigme et ceux qui ont étudié sa vie ont négligé – apparemment – de se pencher sérieusement sur les causes réelles de sa mort.»

HUITIÈME PARTIE

AUX SOURCES
DES MYSTÈRES ÉGYPTIENS

*« En étudiant attentivement les monuments
de l'Ancien Empire, on est impérieusement
amené à la conclusion qu'il ne s'agit pas là
du commencement tâtonnant de la civilisation
et de la science égyptiennes, mais plutôt du
couronnement d'une culture parvenue à son apogée
et qui, sur le point de disparaître, aurait voulu,
en un geste suprême d'orgueil, léguer aux
civilisations un témoignage hautain de sa supériorité. »*

Matila Ghyka

Le *Ka* ou double éternel du pharaon Toutankhamon. Le sort des découvreurs de sa tombe, la plupart morts brusquement et mystérieusement, donna un certain crédit à l'hypothèse d'une «vengeance des pharaons». Musée du Caire. *Famot.*

Chapitre I

DANS LA LONGUE NUIT
DE LA PRÉHISTOIRE

L'HISTOIRE de l'Egypte ancienne se perd dans la nuit des temps et tous les efforts déployés jusque-là par les archéologues n'ont pas abouti à dater d'une façon précise la naissance et le développement de cette civilisation étrange des bords du Nil.

A cet égard, deux écoles proposent des théories diamétralement opposées: celle des égyptologues « classiques » et celle des hermétistes et ésotéristes.

Ménès, premier roi historique de l'Egypte

La première école, qui regroupe la majorité des savants et égyptologues, affirme que les débuts de la civilisation égyptienne se situent au IVe millénaire avant notre ère.

A cette époque lointaine, il se forme d'abord deux royaumes dans la vallée du Nil. L'un, septentrional, a pour capitale l'actuelle bourgade de Tell Balamoun et son dieu principal est Horus. L'autre, méridional, adore le dieu Seth et sa capitale est Ombos, qui correspond aujourd'hui à Kom Belal. Peu de temps après, un conflit éclate entre le nord et le sud. Le royaume du nord emporte la victoire sur celui du sud, interdit le culte d'Ombos qui est remplacé par celui de son dieu Horus et impose l'unification du pays sous le même sceptre.

Cette unité est toutefois de brève durée. Une nouvelle guerre survient qui tourne, cette fois, au profit des méridionaux. Ceux-ci, commandés par le roi Narmer, remontent vers le nord et occupent le delta, comme en témoigne une palette votive en schiste, trouvée dans le temple de la déesse Nekhbet, près d'Edfou. Toutefois, le roi qui va unifier définitivement le pays et mettre fin à la guerre civile est Ménès, premier roi «historique» de l'Egypte.

Connu par Hérodote et par Manéthon, son nom nous est également parvenu grâce à certains papyrus conservés aujourd'hui à Turin. On le dit originaire d'une ville nommée This dont la localisation exacte ne semble pas encore acquise. Après avoir résidé dans le sud, Ménès remonte vers le delta et fonde, à la jonction des deux anciens royaumes, c'est-à-dire à la pointe du delta, une nouvelle résidence royale, le Mur Blanc, que l'on appellera plus tard Memphis.

La civilisation égyptienne prend forme

Sur les successeurs de Ménès, nous disposons de fort peu de renseignements. Ni leurs noms, ni l'ordre dans lequel ils se succédèrent, ne sont bien connus. En fait, les archéologues ont adopté les listes dynastiques établies, au IIIe siècle avant notre ère, par Manéthon, l'historien égyptien, qui classe ces rois en deux dynasties, dites dynasties thinites.

Sous ces deux premières dynasties, la civilisation égyptienne prend forme peu à peu: apparition de l'écriture, construction des mastabas, consolidation du pouvoir royal qui se traduit par la mise en place d'une administration centrale, naissance des arts plastiques et de la médecine, organisation de l'agriculture grâce à la découverte du calendrier sothiaque qui prévoit avec précision les crues et les décrues du Nil. Bref toutes les composantes de la grande civilisation égyptienne sont dès lors réunies. Puis s'éteint le dernier roi de la IIe dynastie thinite qui laisse la place au grand roi Djoser, le premier et puissant pharaon de la IIIe dynastie.

402 000 ans avant le déluge !

Tout cela est absurde, affirment les tenants de la deuxième école qui, tous, sont convaincus, à quelques variantes près, que la véritable histoire de l'Egypte est infiniment antérieure au IVe millénaire.

Une civilisation brillante, selon ces ésotéristes, a précédé la période thinite de plusieurs dizaines de milliers d'années. Les vestiges de cette civilisation ne peuvent pas être «datés» par le carbone 14[1]. Il est donc nécessaire, pour la connaître, de se tourner vers les doctrines secrètes, la littérature et les légendes.

Que dit la doctrine secrète telle qu'elle est enseignée par Mme Blavatsky et confirmée par le «voyant» américain Edgar Cayce? La célèbre théosophe affirme que, il y a des dizaines de milliers d'années, les Lémuriens – troisième race fondamentale de l'humanité – ont abandonné leurs terres englouties (?), traversé les Indes pour venir s'installer sur le Nil. Un de ces rois lémuriens a régné sur l'Egypte quatre cent deux mille ans avant le Déluge !

Edgar Cayce, le «prophète endormi»

Sans remonter aussi loin que Mme Blavatsky, Edgar Cayce situe, lui aussi, l'origine de la civilisation égyptienne dans des temps très anciens.

Peu avant sa mort, en 1945, Cayce, qui fut surnommé tour à tour le «prophète endormi», le «plus grand visionnaire d'Amérique», l'«homme du mystère» et, même, «celui qui voyait aujourd'hui, demain et hier», a consacré de nombreuses «lectures», faites en état d'auto-hypnose, aux origines de l'Egypte.

L'Egypte et l'Afrique du Nord, selon Cayce, étaient recouvertes d'eau, à part certaines régions du Sahara et la vallée du Nil supérieur. Après de très nombreux siècles et l'émersion de terres nouvelles dans cette région, apparaît le premier roi d'Egypte, appelé Raai, roi doté d'un

---

1. Selon ces ésotéristes la datation au carbone 14 ne remonte pas au-delà de 30 000 ans avant J.-C.

immense savoir et d'une haute spiritualité, «capable de comprendre les lois universelles».

Dès le début de son règne, il s'attache à faire connaître à ses sujets l'«étincelle divine» qu'ils portent en eux. Pour cela, il organise une réunion de tous les «dirigeants du monde». Quarante-quatre prêtres, prophètes et astrologues se rencontrent donc sur la terre d'Egypte pour discuter des moyens permettant de hâter le développement de l'homme, de l'aider à faire front aux conditions physiques et de chercher à résoudre le problème des bêtes sauvages. Le thème de la conférence, fixé par le roi Raai, porte sur les «forces spirituelles de l'homme qui en font l'être terrestre suprême».

C'est ainsi que commence, pour la première fois sur terre, grâce au roi Raai, l'étude de la nature spirituelle de l'homme. «Raai, dit Cayce, fixa les rapports d'homme à homme, et de l'homme avec le Tout: les divisions de l'esprit, le conscient, l'inconscient, le super-conscient; les divisions des systèmes solaires et des divers niveaux d'existence par lesquels l'homme doit passer afin de mieux se développer. Ces dogmes gouvernaient bien des phases de la vie terrestre de l'homme, symbolisées par le soleil, la lune, les étoiles et les éléments. L'inscription de ces lois spirituelles sur des tablettes de pierre ou d'ardoise composa la première bible. Ce fut le chapitre initial du *Livre des morts*, comme on l'appela plus tard, lequel n'avait rien de funèbre.»

Cette conférence, précise notre «prophète endormi», s'est déroulée en 37 842 avant notre ère!

Le journal de voyage d'Hérodote

Les «prophéties» de Cayce ainsi que les affirmations de Mme Blavatsky se trouvent en quelque sorte confirmées par les récits de deux auteurs anciens dont la bonne foi ne peut être mise en doute. Il s'agit d'Hérodote d'Halicarnasse, le «père de l'Histoire» et du grand philosophe Platon.

Hérodote a visité l'Egypte au début du Ve siècle avant J.-C. Ses grands voyages le conduisirent aussi chez les Scythes, au nord de la mer Noire, puis en Syrie et à Babylone. Il passa quelque temps en Egypte, remonta le Nil jusqu'à la première cataracte proche de l'île

Eléphantine. Son objectif essentiel était d'immortaliser le conflit qui opposa la Grèce et la Perse mais, à la manière d'un journaliste, il donne des comptes rendus captivants et colorés de tout ce qu'il voit et de tout ce qu'il entend. Vingt-cinq siècles après, ces récits n'ont rien perdu de leur fraîcheur, et les recherches archéologiques tendraient à établir leur véracité, du moins dans les grandes lignes. Cet extraordinaire journal de voyage fut écrit avec un tel esprit, un don si éblouissant de la narration que lorsque Hérodote le lut devant les Grecs assemblés à l'Olympie, le jeune Thucydide fut ému aux larmes et y trouva l'inspiration pour écrire son *Histoire*.

« Le soleil s'était écarté quatre fois de sa course »

Or, voici ce que nous dit Hérodote, dans le Livre II de son enquête sur l'ancienneté des Egyptiens, ancienneté qui l'a apparemment fort impressionné : « Les Egyptiens démontrèrent qu'il a avait eu trois cent quarante et une générations d'hommes depuis le premier roi jusqu'au tout dernier, le prêtre de Hephaïstos. Or trois cents générations correspondent à dix mille ans ; ce qui fait cent ans pour trois générations. Donc, pour les quarante et une générations qui s'ajoutent aux trois cents, il faut compter encore mille trois cent quarante ans. Ce qui fait, en tout : onze mille trois cent quarante ans. Les Egyptiens déclarèrent que pendant toute cette période aucun dieu n'avait revêtu une forme humaine pour régner sur le pays. Ils dirent encore que, au cours de ces onze mille trois cent quarante ans, le soleil s'était écarté quatre fois de sa course ; qu'il s'était levé là où aujourd'hui il se couche, et couché là où maintenant il se lève ; mais que cela n'avait créé aucune perturbation en Egypte, ni en ce qui concernait les fleuves et les récoltes, ni en ce qui touchait à la maladie et à la mort.»

Les antiques archives des prêtres thébains

Les prêtres de Thèbes, qui ont confié ces renseignements à l'historien grec, lui montrèrent aussi trois cent quarante-cinq statues de bois colossales représentant des grands prêtres, descendant les uns des autres de père en fils. «Ils étaient nobles et bons mais loin d'être des dieux; pourtant, ajoutaient les prêtres de Thèbes, avant eux il y eut une époque où les souverains de l'Egypte étaient des dieux et ces dieux vivaient au milieu des hommes! Le dernier d'entre eux qui régna sur l'Egypte était Horus, fils d'Osiris, que les Grecs appellent Apollon.»

Et comme pour inciter ses lecteurs à ne pas mettre en question ces immenses périodes de temps, Hérodote précise qu'il a toute confiance dans les prêtres de Thèbes : «Osiris correspond au Dionysos grec... Or, Dionysos, le plus jeune des dieux, avait déjà quinze mille ans à l'époque du roi Amasis. Ces choses, les Egyptiens disent qu'ils les connaissent avec certitude parce qu'ils ont toujours compté les années et conservé des archives.»

Voyage de Solon en Egypte

Ce témoignage d'Hérodote recoupe, en plusieurs points, celui de Solon, si l'on en croit le récit de Platon.

Le célèbre législateur athénien (644 à 560 avant J.-C.), nous dit Platon dans son fameux dialogue le *Timée*, ne peut être suspecté d'inventer une histoire de toutes pièces. Or, Solon s'est rendu en Egypte, aux environs de 590 avant J.-C. A cette époque, les Grecs étaient bien accueillis en Egypte par le pharaon Amôsis, connu pour sa politique philhellène. Amôsis avait accordé d'importantes concessions au port libre de Naucratis, lequel, selon Hérodote, était, en ce temps-là, le seul comptoir de commerce grec en Egypte. Naucratis avait été fondé longtemps auparavant – sans doute en 630 avant J.-C. – à la suite de la pénétration des Milésiens en Egypte, et nous possédons d'importantes preuves archéologiques qui démontrent que des Grecs d'origines diverses vivaient là au moment du voyage de Solon. Naucratis était une cité prospère, en plein développement, située sur la branche occidentale du Nil, à environ 16 kilomètres de Saïs, et il est probable que le vaisseau de Solon était venu relâcher en cet endroit. De Naucratis, Solon, comme l'affirme Platon, pouvait facilement s'être rendu à Saïs, alors capitale administrative de l'Egypte.

Solon consulte les prêtres de la déesse Neith

C'est là que le législateur athénien entra en contact avec les prêtres égyptiens qui prenaient un vif intérêt à l'histoire de leur pays. Il put converser avec eux longuement et sans difficulté, grâce aux nombreux interprètes formés à l'école spéciale, fondée par Psammétique 1er, pour promouvoir la politique prohellène suivie par la dynastie saïte.

C'est pourquoi il n'est pas déraisonnable d'imaginer Solon en train de consulter les historiographes et les archivistes égyptiens, et même les prêtres de la déesse Neith, comme le dit Platon... Au cours de ces visites, Solon prit des notes qu'il ramena à Athènes, dans l'intention de composer un poème épique sur le thème de ce conflit des premiers âges. Malheureusement, ses obligations politiques, ou peut-être simplement son grand âge, l'empêchèrent de réaliser ce projet. Il se contenta de répéter à un ancêtre de Platon ce qu'on lui avait raconté et l'histoire, peut-être accompagnée d'un manuscrit de Solon, fut transmise dans la famille jusqu'au jour où Platon décida de la révéler, dans son dialogue le *Timée*.

Un prêtre égyptien à Solon : « Vous autres Grecs, vous êtes toujours des enfants »

Platon fait donc raconter par Critias la fameuse rencontre entre Solon et les prêtres égyptiens.

Ces prêtres expliquent d'abord à Solon pourquoi le peuple égyptien à réussi à survivre à tous les désastres naturels. Grâce au Nil, « le sauveur qui préserve les Egyptiens de toutes les calamités », ceux-ci, témoins privilégiés de l'histoire humaine, ont consigné par écrit tous les événements importants depuis les temps les plus lointains.

« Il y a en Egypte, dans le delta, à la pointe duquel le Nil se partage, un nome appelé Saïtique, dont la principale ville est Saïs, patrie du roi Amôsis. Les habitants honorent comme fondatrice de leur ville une déesse dont le nom égyptien est Neith et le nom grec, à ce qu'ils disent, Athéna. Ils aiment beaucoup les Athéniens et prétendent avoir avec eux une certaine parenté. Son voyage l'ayant amené dans cette ville, Solon m'a raconté qu'il y fut reçu avec de grands honneurs; puis, qu'ayant interrogé sur les antiquités les prêtres les plus versés dans cette matière, il avait découvert que ni lui, ni aucun autre Grec, n'en avait pour ainsi dire aucune connaissance. Un autre jour, voulant engager les prêtres à parler de l'Antiquité, il se mit à leur raconter ce que l'on sait chez nous de plus ancien. Il leur parla de Phoroneus qui fut, dit-on, le premier homme, et de Niobé, puis il leur conta comment Deucalion et Pyrrha survécurent au Déluge; il fit la généalogie de leurs descendants et il essaya, en distinguant les générations, de compter combien d'années s'étaient écoulées depuis ces événements.

»Alors, un des prêtres, qui était très vieux, lui dit :

– Ah! Solon, Solon! Vous autres, Grecs, vous êtes toujours des enfants et il n'y a point de vieillards en Grèce.

– Que veux-tu dire par là? demande Solon.

– Vous êtes tous jeunes d'esprit, répondit le prêtre; car vous n'avez dans l'esprit aucune opinion ancienne fondée sur une vieille tradition et aucune science blanchie par le temps. Et en voici la raison. Il y a eu souvent, et il y aura encore souvent, des destructions d'hommes causées de diverses manières, les plus grandes par le feu et par l'eau, et d'autres moindres par mille autres choses. Par exemple, on raconte aussi chez vous de Phaéton, fils du Soleil, qu'il a un jour attelé le char de son père et que, ne pouvant le maintenir dans la voie paternelle, il embrasa tout ce qui était sur la terre et périt lui-même frappé de la foudre.

»Ce récit a, il est vrai, l'apparence d'une fable; mais la vérité qui s'y recèle, c'est que les corps qui circulent dans le ciel autour de la terre dévient de leur course et qu'une grande conflagration qui se produit à de grands intervalles détruit ce qui est à la surface de la terre. Alors, tous ceux qui habitent dans les montagnes et dans les endroits élevés et arides périssent plutôt que ceux qui habitent au bord des fleuves et de la mer.

«Tout est consigné dans nos temples, depuis des temps immémoriaux»

»Nous autres, nous avons le Nil, notre sauveur ordinaire qui, en pareil cas aussi, nous préserve de cette calamité par ses débordements. Quand, au contraire, les dieux submergent la terre sous les eaux pour la purifier, les habitants des montagnes, bouviers et pâtres, échappent à la mort mais ceux qui résident dans nos villes sont emportés par les fleuves dans la mer tandis que chez nous, ni dans ce cas, ni dans d'autres, l'eau ne dévale jamais des hauteurs dans les campagnes; c'est le contraire, elles montent naturellement toujours d'en bas. Voilà comment et pour quelles raisons on dit que c'est chez nous que se sont conservées les traditions les plus anciennes. Mais, en réalité, dans tous les lieux où le froid ou la chaleur excessive ne s'y opposent pas, la race humaine subsiste toujours plus ou moins nombreuse. Aussi tout ce qui s'est fait de beau, de grand ou de remarquable sous tout autre rapport, soit chez vous, soit ici, soit dans tout autre pays dont nous ayons entendu parler, tout cela se trouve ici consigné par écrit dans nos temples depuis un temps immémorial et s'est ainsi conservé.»

Les débuts de l'histoire égyptienne, selon Manéthon

Quelle est la durée exacte de ce temps «immémorial»?

Sur ce point les avis, on l'a vu, divergent. Manéthon a tenté toutefois de nous fournir une indication précise en s'appuyant sur les archives sacrées des prêtres égyptiens puisqu'il était lui-même grand prêtre au temple d'Héliopolis, temple considéré dans le monde antique comme un centre prestigieux de savoir. Là, il eut sans doute à sa disposition un matériau historique considérable: papyrus, tablettes hiéroglyphiques, sculptures murales, inscriptions en tous genres et, peut-être aussi, les conseils avisés de collègues instruits dans les traditions millénaires de l'Egypte.

S'inspirant de toutes ces sources, le prêtre-historien rédigea donc la première *Histoire de l'Egypte*. Son œuvre contenait, on l'a dit, une liste des diverses dynasties royales d'Egypte. Malheureusement, l'ouvrage disparut, probablement brûlé lors de l'incendie de la bibliothèque d'Alexandrie. Seuls, quelques extraits en furent conservés dans les écrits de Jules l'Africain et d'Eusèbe de Césarée.

Voici un de ces extraits où Manéthon fait remonter l'histoire de l'Egypte à l'an 24920... avant notre ère ! « Le premier homme (ou dieu) d'Egypte est Héphaïstos, qui est aussi connu parmi les Egyptiens comme l'inventeur du feu. Son fils, Hélios (le Soleil) eut pour successeur Sosis, puis Cronos, Osiris, Typhon (frère d'Osiris) et, pour finir, Horus fils d'Osiris et d'Isis. Ils furent les premiers souverains d'Egypte. La royauté se transmit de l'un à l'autre en une succession ininterrompue tout au long d'une période qui dura treize mille neuf cents ans. Après les dieux régnèrent les demi-dieux pendant mille deux cent cinquante-cinq ans, et il y eut une nouvelle lignée de rois pendant mille huit cent dix-sept ans. Vinrent ensuite trente souverains, les rois de Memphis, qui établirent leur pouvoir durant mille sept cent quatre-vingt-dix ans. Puis dix autres rois, qui gouvernèrent trois cent cinquante ans. Après cela, ce fut le règne des « Esprits des Morts » pendant cinq mille huit cent treize ans. »

CHAPITRE II

DES MILLIERS D'ANNÉES
AVANT COPERNIC ET GALILÉE

P ARMI les nombreuses ruines qui bordent les bords du Nil, se dresse, à Dendérah, le temple d'Hathor, la déesse de l'Amour. C'est dans ce sanctuaire que se pratiquaient les mystères d'Osiris, enseignés par leurs adeptes depuis la plus haute antiquité. Sur le plafond de ce temple, était sculpté un zodiaque, dont nous avons dit quelques mots à propos de Champollion. Cette œuvre remarquable fut, on le sait, enlevée lors de l'expédition d'Egypte et reconstituée à Paris après avoir été remplacée par une copie. Or, dit Hennig, les signes de ce zodiaque dépeignent une configuration d'étoiles et d'astres qu'on peut situer, d'après les symboles astrologiques et en se référant à la précession des équinoxes, à environ 50 000 ans avant notre ère !

La Grande Pyramide fut-elle construite
au XXXIVe siècle avant J.-C. ?

S'appuyant à la fois sur le zodiaque de Dendérah et sur les affirmations d'Hérodote, le même chercheur anglais Richard Hennig aboutit aux conclusions suivantes : « Il existe un texte d'Hérodote (qui certainement n'inventait rien) sur les choses qui s'étaient passées dans des temps très anciens et sur lesquelles les prêtres appuyaient tout leur savoir. C'est dans ce texte qu'on retrouve ceci : «Les prêtres égyptiens affirmaient que le Soleil s'est levé deux fois du côté où il se couche aujourd'hui et s'est couché deux fois du côté où il se lève maintenant.»

»Il s'agit tout simplement du phénomène appelé «précession des équinoxes», ou mouvement rétrograde des points équinoxiaux. On sait que la terre court sur son orbite dans un axe incliné et que cet axe lui-même, dirigé vers divers points successifs, revient à son point de départ toutes les 25 827 années.

»Si nous prenions Hérodote à la lettre, nous tiendrons la preuve que l'Egypte connaissait, il y a 50 000 ans, l'astronomie car, si l'observation du ciel n'avait pas commencé à cette époque, la précession des équinoxes n'aurait pas pu être calculée. Les Grecs découvrirent le phénomène en l'an 150 avant notre ère, mais les Babyloniens l'avaient découvert, ou en avaient des notions, longtemps avant. Ils parlaient d'événements dans le ciel qui devaient s'être passés durant la période appelée l'Ere des Gémeaux, époque où la constellation des Gémeaux entra dans le premier jour du printemps de l'année solaire.

»Rien ne nous empêche de croire que les Egyptiens étaient arrivés à d'excellentes connaissances grâce à une longue observation du ciel, d'autant plus que le Zodiaque du temple de Dendérah (qui date de quelques siècles avant notre ère) montre la constellation des Gémeaux dans le signe du printemps. Logiquement, et c'est la seule conclusion possible, on doit croire que la science égyptienne des mécanismes célestes remonte au moins à l'Ere des Gémeaux et qu'avancer l'hypothèse de la construction de la Grande Pyramide au XXXIVe siècle avant J.-C. n'a rien d'invraisemblable.»

Le zodiaque de Dendérah fut-il conçu par des astronomes appartenant à quelque civilisation disparue ?

Quelle est la valeur de toutes ces dates ? Les Egyptiens avaient-ils atteint un haut degré de connaissances astronomiques ? Le zodiaque de Dendérah fournit-il réellement les informations et les précisions que lui prêtent Richard Hennig et tant d'autres ?

Les astronomes «classiques» n'accordent naturellement aucun crédit à ces conjectures et affirment que les peuples primitifs démunis de télescopes n'avaient aucun moyen de procéder à de telles observations. Toutefois, il est interessant de rapporter, ici, certaines croyances mystérieuses des Dogons, et d'autres tribus africaines, étudiées par notre ami Jean Servier, actuellement professeur d'ethnologie à Montpellier.

Les Dogons sont une peuplade noire qui vit sur les hauteurs de Bandiagara, au Mali, et qui sait depuis très longtemps que Sirius a deux satellites. Les Dogons disent que le plus proche compagnon de l'astre est composé d'un métal nommé *sogolu*, plus brillant que le fer; un grain de cette substance pèse autant que «quatre cent quatre-vingt ânées» (une ânée étant la charge d'un âne). Les initiés du Soudan venèrent Sirius comme le père de notre système solaire, confirmant par là tout ce qu'affirment les anciennes sagesses occultes. La tribu des Shilluk, en Afrique du Sud, a toujours donné à Uranus – planète possédant deux lunes – le nom de «Trois Etoiles». Pourtant, jusqu'à sa découverte par Herschel le 13 mars 1781, la planète Uranus resta inconnue de l'astronomie moderne. De leur côté, les Touareg partagent avec beaucoup d'autres peuples une série de légendes concernant Orion et les Pléiades.

S'agit-il là de simples récits mythiques? Ou bien peut-on, avec C. Daly King, envisager l'hypothèse qu'une connaissance aussi approfondie des astres, transmise par des générations de peuples primitifs au cours de milliers d'années, n'a pu être obtenue que par l'intermédiaire d'astronomes appartenant à quelque civilisation disparue?

Un authentique savant défend, lui aussi, l'extrême ancienneté de la civilisation égyptienne

Daly King est persuadé que toutes les connaissances extraordinaires détenues par les prêtres de Thèbes et de Memphis sont un héritage direct d'une très ancienne civilisation égyptienne disparue il y a 40 000 ans.

L'homme qui avance cette extraordinaire hypothèse n'est pourtant pas un illuminé. Savant reconnu par ses pairs pour ses très remarquables recherches psychologiques, King est l'auteur de trois traités classiques utilisés actuellement dans l'enseignement des pays anglo-saxons : *Beyond behaviourism* (1927), *Integrative psychology* (1931), et *The Psychology of consciousness* (1932).

En 1946, Daly King passe à l'université Yale, une des plus renommées des Etats-Unis, une thèse de doctorat en physique sur les phénomènes électromagnétiques qui se produisent pendant le sommeil. Puis il se penche sur les états supérieurs de conscience, états au cours desquels on est plus éveillé que dans l'éveil normal, ce qui aboutit à un autre livre classique, publié à New York, en 1963, sous le titre *The States of human consciousness*. Daly King est mort cette même année, alors qu'il mettait la dernière main à un ouvrage consacré aux sciences secrètes dans l'ancienne Egypte.

Le ankh-en-maat ou miroir de la vérité

La thèse centrale de Daly King peut être résumé ainsi : en un temps remarquablement court, un événement décisif a transformé un conglo-mérat de tribus sémitiques vivant au bord du Nil en un Etat hautement civilisé qui dura 3000 ans ; cet événement est, à n'en point douter, la *redécouverte* d'un très antique héritage d'une précédente civilisation égyptienne qui s'est épanouie sur les bords du Nil il y a quarante millénaires, avant de disparaître dans un gigantesque cataclysme.

Les prêtres qui ont effectué cette prodigieuse résurrection du plus lointain passé égyptien ont, dès lors, créé des écoles spéciales pour préserver dans l'avenir les connaissances secrètes. « Dans l'Egypte, écrit Daly King, il existait de véritables écoles et la Grande Ecole, celle qui enseignait dans les pyramides, était réellement sérieuse. Sa spécia-lité était la connaissance réelle, objective, de l'univers réel. Et une des possibilités offertes aux étudiants était celle, à l'aide d'un cours soi-gneusement étudié, d'utiliser les fonctions naturelles mais insoupçon-nées de leurs propres corps pour les transformer, d'êtres sous-humains que nous sommes tous, en êtres véritables.

» La Grande Ecole avait mis au point une science que nous ne possédons pas : c'était la science de l'optique psychologique. Cette science permettait d'étudier des miroirs qui ne reflétaient que ce qui était mauvais dans un visage qu'on leur présentait. Un tel miroir s'appelait le *ankh-en-maat*, miroir de la vérité. Le candidat admis à la Grande Ecole ne voyait plus rien dans le miroir car il s'était purifié jusqu'à l'élimination de tout ce qui est mauvais en lui. Un tel candidat s'appelait un Maître du miroir pur.»

Cette thèse, on s'en doute, a été vivement critiquée par les égyptologues classiques. «Cette théorie ne repose sur aucun document et relève du délire», a écrit l'un deux. A quoi Daly King a répondu: «Si on faisait bouillir tous les égyptologues et que l'on distillât le fluide ainsi obtenu, on n'extrairait pas un microgramme d'imagination!»

Que cachent les immenses cavernes artificielles d'Hélouan et de Sakkara?

La thèse d'une première civilisation égyptienne qui remonterait à plusieurs dizaines de millénaires avant notre ère et qui aurait disparu lors d'une catastrophe, est également défendue par l'érudit français Jacques Verne. «L'origine de la civilisation égyptienne, écrit-il dans le numéro 174 de la revue *Constellation*, ne remonterait pas, comme le croient les savants occidentaux, ou tout au moins comme ils l'ont toujours écrit, à près de 40 siècles avant J.-C. mais à une période plus lointaine.

»Il y a plus de dix mille ans, les Egyptiens connaissaient déjà les métaux, et avaient une science développée, notamment en astronomie. Leur calendrier était fondé sur l'étoile Sirius, et ils savaient déjà que cette étoile possède un compagnon obscur extrêmement dense.

»La première civilisation égyptienne fut détruite par une catastrophe mais assez d'éléments ont survécu pour permettre le développement de l'Egypte telle que la connaissent les archéologues.

»Tout le monde connaît les monuments égyptiens classiques: le Sphinx et les pyramides, par exemple. Tout le monde connaît également les découvertes souterraines qui ont été faites en Egypte, et notamment les tombes de grands pharaons. Mais il semble que les Egyptiens aient toujours voulu cacher les tombeaux les plus essentiels, et spécialement d'immenses cavernes artificielles sous Hélouan et sous Sakkara.»

Les mystères du calendrier égyptien

Il est certain, en effet, que les découvertes faites en 1954 à Hélouan et à Sakkara plongent les archéologues dans la plus grande perplexité.

Ainsi, l'archéologue égyptien Zaki Saad a trouvé, entre autres objets extraordinaires, des tissus faits d'un fil de lin extrêmement fin et qui semblent avoir été fabriqués avec des machines de haute précision. «On a peine à croire, écrit Zaki Saad, qu'ils aient été filés avec un simple fuseau. A vrai dire, il semble que le filage soit un autre des mystères des anciens Egyptiens et l'esprit tâtonne encore en vain à la recherche de sa solution.» Et l'archéologue égyptien aboutit, lui aussi, à la conclusion que la civilisation archaïque égyptienne était «infiniment plus avancée technologiquement» qu'on l'a dit jusqu'ici.

Lors de ces fouilles de 1954, on a également mis au jour à Sakkara de mystérieuses tombes datées de la Ire dynastie, tombes aux dimensions gigantesques : certaines atteignent en effet jusqu'à quatre-vingts mètres de long! L'archéologue soviétique Garamov, responsable de ces fouilles, déclare avoir trouvé auprès de ces tombes énormes, des momies, des cartes du ciel, des lentilles en cristal parfaitement sphériques et admirablement taillées et surtout des inscriptions qui prolongent le calendrier égyptien jusqu'à une date stupéfiante! Ces inscriptions correspondent à vingt-cinq cycles qui équivalent chacun à 1461 ans, ce qui fait 36 525 ans!

Comment les Egyptiens ont-ils procédé? Pour l'archéologue soviétique, la réponse est simple : les lentilles de Sakkara sont des instruments d'optique qui ont permis aux anciens Egyptiens d'observer le ciel et d'établir leur extraordinaire et mystérieux calendrier. Garamov signale que déjà, en 1852, le célèbre physicien anglais sir David Brewster montra à ses confrères lors d'une réunion de l'Association de physique britannique, qui se tenait à Bedford, une lame de cristal de roche façonnée en forme de lentille, qu'on venait de trouver dans les fouilles de Ninive.

«Etincelles de sagesse» et savoir initiatique

Telle est l'étonnante énigme que pose l'astronomie de l'antique Egypte, énigme qui suscite parmi les chercheurs indépendants et les savants classiques d'âpres polémiques.

Contrairement à Garamov, l'auteur soviétique Alexandre Kazantsev ne pense pas que les Egyptiens disposaient d'instruments perfectionnés pour observer les étoiles. Il attribue plutôt ces observations à des «étincelles de sagesse», à une sorte de savoir initiatique qui leur a permis de sonder les secrets des étoiles et de l'Univers: «Aux alentours des pyramides égyptiennes, écrit Kazantsev, à l'ombre des colonnes du temple de Râ, entouré des statues en marbre blanc de Pallas et de Jupiter, ou de la solitude philosophique des déserts, des savants inconnus d'une lointaine Antiquité ont continuellement observé les étoiles et posé les fondements de l'astronomie. Cette science de calme nocturne, de solitude contemplative et de vision aiguë, cette science des prêtres, des rêveurs et des navigateurs, cette science du calcul exact du temps et de l'espace exige aujourd'hui des instruments de précision très compliqués. Mais aux temps anciens, ces instruments n'étaient pas disponibles et ne pouvaient exister. Dans ces conditions, certaines connaissances astronomiques des Anciens ne peuvent manquer de nous étonner. Des milliers d'années avant Copernic et Galilée, les Egyptiens savaient parfaitement que la Terre était un globe qui tourne autour du Soleil. Ne disposant d'aucun instrument d'observation, ils savaient même comment ce globe tournait. Les prêtres, gardiens de la science, avaient déduit depuis longtemps que l'Univers était infini et rempli d'une multitude de mondes. On ne comprend pas comment les Anciens ont pu connaître l'orbite elliptique de la Terre autour du Soleil. Ces «étincelles de sagesse» présentent par elles-mêmes un très grand intérêt. Les Anciens ont dû être en possession des résultats de certains calculs, plutôt que de méthodes et d'instruments précis.»

NEUVIÈME PARTIE

TROIS ÉNIGMES NON RÉSOLUES

*« Il n'est rien de caché qui ne sera révélé,
rien de secret qui ne sera connu. »*

Les Evangiles

Auguste Lesage, «le plus grand peintre-médium de l'Europe», visitant l'Egypte en 1939, retrouva sur un mur d'un petit tombeau de la Vallée des Rois une grande fresque reproduisant la scène de l'un de ses tableaux, *la Moisson*, qu'il avait peint avant de partir... *Roger-Viollet*

LES trois récits qui vont suivre sont rigoureusement authentiques et dûment vérifiés par de nombreux témoins.

Si leur réalité matérielle ne peut en aucun cas être mise en question, leur sens, toutefois, nous demeure caché.

Nous n'essayerons point d'établir entre eux quelque lien logique tiré par les cheveux. Rien, en effet, de comparable entre la main d'une momie qui saigne, une voix qui semble être venue de la XVIIIe dynastie et un peintre naïf qui reproduit fidèlement, sans l'avoir jamais vue, une fresque murale d'un tombeau de la Vallée des Rois.

Devant ces mystères qui nous dépassent, nous nous abstiendront, contrairement à Cocteau, de feindre d'en être les «organisateurs».

Voici donc ces trois récits, aussi insolites que stupéfiants.

La «main miraculeuse»

Au début du siècle, un antiquaire d'Alexandrie fait une acquisition curieuse. Il s'agit d'un sarcophage contenant la main d'une momie.

En peu de temps, le bruit se répand à travers Alexandrie que la main possède de très étranges pouvoirs.

– Il suffit de la toucher, dit l'un, pour que l'on ressente immédiatement une sensation de chaleur.

– Je l'ai vu saigner légèrement, rapporte un autre témoin.

Et comme l'Orient est particulièrement réceptif aux phénomènes magiques et aux miracles, des foules de plus en plus nombreuses accourent chez l'antiquaire, pour voir cette merveille et la toucher. A leur tour les journaux s'emparent de l'affaire et échafaudent autour de la «main qui saigne» mille hypothèses aussi abracadabrantes les unes que les autres. La revue ésotérique *Misr*, fondée en 1840 par le fameux occultiste d'origine syrienne Ahmed Alassoum, consacre même un numéro spécial à la «main miraculeuse», pour la plus grande joie de l'antiquaire qui, devant l'afflux des curieux, a eu la riche idée de demander un prix d'entrée à ceux qui veulent voir et toucher la relique!

Bientôt, la célébrité de la «main qui saigne» et du sarcophage qui la contient dépasse Alexandrie et l'Egypte et parvient jusqu'en Europe!

Le rusé Egyptien flaire la bonne affaire

Un jour, une délégation britannique, dirigée par sir Frederic Schand, débarque à Alexandrie.

Les Anglais ont pour mission d'acquérir la relique qui, dit-on, est celle d'une princesse de haut rang.

Dès le lendemain de leur arrivée, les Anglais se présentent chez l'antiquaire dont la boutique est située rue Chérif-Pacha.

– Nous représentons le musée de Westminster, explique sir Frederic. Nous avons appris que vous aviez acquis un curieux sarcophage et la main d'une momie dotée de pouvoirs étranges.

– Entrez donc, messieurs, répond l'antiquaire. Mais je vous préviens : ni le sarcophage ni la main ne sont à vendre.

– Nous avons l'intention justement, après examen bien sûr, de vous proposer un bon prix, déclare sir Frederic.

– Peu importe le prix, interrompt l'Egyptien, je vous répète que je garde pour moi le sarcophage et la main.

L'antiquaire, qui flaire la bonne affaire, pense en effet qu'il est préférable de ne pas céder tout de suite.

Jour après jour, la délégation revient à la charge. Le rusé Egyptien accepte de discuter avec ses visiteurs mais se garde de leur donner une réponse précise, dans le secret espoir de voir les Anglais augmenter progressivement leur offre.

Un sarcophage tout aussi mystérieux

Et il est bien vrai que sir Frederic et ses compagnons semblent de plus en plus intéressés par ces reliques.

Au cours de leurs nombreuses visites, ils découvrent, en effet, que le sarcophage possède, lui aussi, de mystérieux pouvoirs semblables, en partie, à ceux de la main. Ils constatent qu'en appuyant les mains sur le visage et la poitrine de ce sarcophage momiforme, ils ressentent, moins d'une minute après, une chaleur étrange.

En outre, leurs corps sont parcourus de fourmillements d'intensité croissante. Ce dernier phénomène est tellement impressionnant que l'un des membres de la délégation s'évanouit en gardant sa main trop longtemps sur le sarcophage.

De plus en plus intrigués par ces phénomènes, les Anglais pressent le marchand de se décider :

– Jamais personne ne vous proposera autant d'argent, affirme sir Frederic. Vous perdez, là, une belle occasion de faire fortune.

– Peut-être, répond l'Egyptien... Peut-être également gagnerai-je plus en conservant ces reliques qui me rapportent de l'argent tous les jours.

Après plusieurs semaines de marchandage, la délégation tente une dernière démarche ; l'antiquaire annonce alors son refus catégorique et irréversible de céder le précieux trésor.

Les traces des reliques se perdent à Hollywood

L'Arabe ne se trompait pas.

Au fil des mois, des curieux, de plus en plus nombreux, affluent à la boutique de la rue Chérif-Pacha, devenue un véritable lieu de pèlerinage.

La foule devient telle que la police est souvent obligée d'intervenir pour dégager la chaussée afin de permettre aux véhicules de circuler.

Et les murs sur lesquels repose le sarcophage sont vite recouverts par de nombreux témoignages de reconnaissance.

Les uns déclarent avoir gagné à la loterie, les autres affirment être guéris d'une maladie jugée incurable, grâce à l'intervention de la main miraculeuse... On la caresse, on la prend dans ses bras, on lui confie ses problèmes et ses espérances.

Lorsque éclate la Première Guerre mondiale, de très nombreux soldats qui transitent par Alexandrie se rendent auprès de la momie pour se placer sous sa protection. Certains membres du corps expéditionnaire australien, qui ont survécu à la meurtrière tentative de débarquement allié près de Gallipoli, dans les Dardanelles, affirment être encore en vie grâce à elle.

– C'est la jeune femme égyptienne qui a vécu des siècles et des siècles auparavant qui nous a sauvés de la mort, proclament-ils.

Entre les deux guerres mondiales, le cercueil est embarqué à Alexandrie, à destination des Etats-Unis où il doit être exposé dans diverses localités.

Après de longs mois de tournée, il parvient à Hollywood et c'est là que l'on perd sa trace.

Peut-être gît-il encore dans le magasin d'accessoires d'un studio cinématographique.

Des nonnes anglaises frappées de xénoglossie

La deuxième histoire est tout aussi vraie et tout aussi incroyable. Toutefois, avant de la relater, il nous faut préciser le sens du mot xénoglossie puisque c'est de cela qu'il s'agit dans l'extraordinaire aventure vécue par une jeune Anglaise que nous appellerons Rosemary.

Composée de deux racines grecques (*xénos* qui veut dire étranger et *glossa* ou langue), la xénoglossie est un des domaines les plus mystérieux de la parapsychologie. C'est la faculté pour un sujet de s'exprimer, en état second, dans une langue qui lui est totalement étrangère et qu'il ignore absolument. L'histoire nous fournit, sur ce phénomène extrêmement rare, deux exemples, En 1634, les nonnes du couvent des Ursulines à Londres s'étaient mises à parler, dans un état de transe collective, en grec, en latin, en turc et en espagnol alors qu'aucune d'elles ne connaissait auparavant ces langues. Au milieu du siècle dernier, l'Américaine Laura Edmonds a prononcé, en état second, un grand nombre de phrases en grec ancien, langue qu'elle n'avait jamais étudiée.

Un commun amour de la mort

L'histoire de Rosemary est encore plus étonnante.

Tout commence en décembre 1927. Institutrice à l'école de Blackpool, Rosemary fait la connaissance du Dr Frederic Herbert Wood, qui enseigne la musique dans cette même école. Et comme les soirées, à Blackpool, ne sont pas particulièrement gaies, Rosemary prend peu à peu l'habitude de se rendre chez l'excellent Dr Wood dont elle partage l'amour de la musique. Certes, le Dr Wood a, en secret, un hobby. Rosemary a remarqué que son collègue est passionné de parapsychologie. Mais c'est là un domaine qui n'intéresse pas beaucoup la jeune fille et le Dr Wood ne lui parle que très rarement de ses recherches.

Le 13 décembre 1927, Rosemary vient, comme d'habitude, chez son ami. Elle s'installe devant une table et se met à dessiner d'étranges symboles sur une feuille de papier. Intrigué, le Dr Wood lui demande ce que peuvent bien signifier ces signes qui s'apparentent, à première vue, à des hiéroglyphes. Mais Rosemary semble incapable elle-même de définir le sens de ces symboles. Elle laisse cependant entendre que «sa main est guidée par une volonté inconnue et étrangère».

Des sons étranges qui proviennent
d'un très lointain passé

Durant les jours qui suivent, le Dr Wood, qui a compris que Rosemary est un «authentique médium», la prie de recommencer l'expérience. La jeune institutrice dessine alors de nouveau des caractères hiéroglyphiques.

Pour en avoir le cœur net, le Dr Wood montre ces dessins étranges au célèbre égyptologue Alfred J. Howard Hulme, professeur à l'université d'Oxford. Ce dernier est formel : il s'agit bien là d'hiéroglyphes égyptiens, correctement dessinés et ayant un sens précis. Extrêmement intrigué par ce phénomène, le Dr Wood continue à suivre de très près l'étrange activité de Rosemary, pendant plusieurs années.

Brusquement, le 8 août 1931, Rosemary se met à prononcer des mots bizarres qui n'appartiennent apparemment à aucune langue connue. Serait-ce de l'égyptien ancien ? De nouveau, le Dr Wood consulte le professeur Hulme. Ce dernier se rend cette fois à Blackpool pour constater lui-même cet incroyable phénomène. A sa demande, Rosemary « parle ». Les sons qu'elle émet sont confus. Mais peu à peu, ils deviennent plus nets. *« Ah-yita-zhoula ».* Le professeur Hulme parvient à déchiffrer ces sons étranges qui veulent dire, en ancien égyptien : « J'ai entendu quelqu'un... dire quelque chose ».

Sous quelle dictée parle Rosemary ? Qui est ce quelqu'un ? Pendant plusieurs mois, le « médium » continue à émettre ces sons étranges qui proviennent d'un très lointain passé. « Je ressens ces phrases que je prononce, explique Rosemary, comme un langage inaudible. Je sens bien qu'elles sont formées dans une autre partie du cerveau, par rapport au langage normal. J'ai vaguement l'impression que c'est quelque part entre le cerveau et le dessus du crâne.

» Lorsque quelqu'un parle, il doit, normalement, penser d'abord. Mais, pour ma part, lorsque la voix se manifeste, je ne pense strictement à rien. Mes lèvres bougent, forment des mots ; mais je suis incapable de dire exactement quel est le mécanisme... Habituellement, on se rappelle ce que l'on a dit, au moins pendant un bref moment. Moi je ne me rappelle rien de ce que j'ai pu dire dans cet état de transe ; je suis incapable de répéter les mots, et ne me souviens plus du tout du contenu. »

Télika est-elle l'épouse d'Aménophis III ?

Le 5 décembre 1931, en présence du Dr Wood, du professeur Hulme et d'autres spécialistes éminents de l'Egypte pharaonique, Rosemary prononce vingt-huit phrases en ancien égyptien. Hulme réussit à tout déchiffrer et apprend ainsi que la «voix» qui dicte ses phrases à Rosemary est celle de Télika, une princesse babylonienne venue en Egypte sous le règne d'Aménophis III.

Qui est donc Télika? Nous sommes, sur ce point précis, réduits à des hypothèses. Est-ce une épouse d'Aménophis III? Cela est tout à fait possible. Les tablettes d'Amarna, la capitale, on l'a déjà vu, de l'hérésie atonienne, nous fournissent à cet égard quelques renseignements intéressants. Elles nous apprennent, entre autres choses, que le pharaon Aménophis III a épousé la sœur du roi de Babylone Kadashman. S'agit-il de Télika? Dans la correspondance échangée par le pharaon et le roi babylonien, ce dernier fait part de son étonnement devant le souhait exprimé par Aménophis III d'épouser sa fille. Pourquoi, demande Kadashman, le pharaon veut-il épouser ma fille alors qu'il est déjà marié avec ma sœur? Et d'ailleurs, quel est le sort de cette sœur? Telles sont quelques-unes des questions que pose Kadashman à son correspondant Aménophis III dans une lettre retrouvée à Amarna en 1887: «D'ailleurs, se lamente le roi de Babylone, personne n'a vu ma sœur jusqu'à présent, et personne ne sait si elle est morte ou vivante. Le pharaon a dit à mes envoyés, en leur présentant ses femmes: «Voyez, là, votre maîtresse, elle est devant vous!» Mais mes envoyés ne l'ont pas reconnue. La femme que le pharaon leur a montrée est-elle vraiment ma sœur?»

Les connaissances occultes
des prêtres de rang supérieur

Que s'est-il passé exactement? Télika a-t-elle été assassinée lors de l'un de ces complots de harem si fréquents dans l'Egypte pharaonique? Est-ce la reine Tiyi, la Grande-épouse d'Aménophis III, qui a «liquidé» cette rivale étrangère?

Dans une étude consacrée au «médium» Rosemary, le professeur Hulme le laisse entendre. Il relie ces événements aux premières manifestations de l'hérésie atonienne qui sera plus tard la très provisoire religion d'Etat de l'Egypte pharaonique avec l'accession au trône d'Aménophis IV, plus connu sous le nom d'Akhénaton. Télika aurait été secrètement convertie à la religion atonienne naissante et aurait cherché à influencer son mari Aménophis III pour l'amener à sa nouvelle foi. C'est alors que la Grande-épouse, très liée avec les prêtres d'Amon, et ennemie de cette nouvelle religion, aurait fait assassiner sa rivale.

Les propos tenus par Télika, à travers la bouche de Rosemary, semblent confirmer l'hypothèse suggérée par le professeur Hulme. «Je sais, dit-elle, que l'énorme puissance des prêtres à l'égard du peuple est fondée sur la superstition. Celle-ci leur permettait de dominer et d'asservir complètement le peuple, qui avait peur d'eux...

»Les prêtres de rang supérieur se servaient des sciences occultes, comme la télépathie. Ils étaient en mesure de prédire leur propre avenir. Beaucoup de leurs connaissances occultes n'ont jamais été mises par écrit, et seuls les prêtres de rang très élevé étaient au courant de ces choses.»

Un rayon de lumière bleue venant d'un autre monde

A partir du mois d'avril 1936, le Dr Wood et le professeur Hulme, assistés du Dr Nandor Fodor, directeur de l'Institut de recherches psychiques de Londres, prennent l'habitude d'enregistrer sur disque les «propos» du médium Rosemary. Plusieurs égyptologues anglais et étrangers participent au déchiffrement de ces confidences surgies du fin fond des temps.

Par la bouche de Rosemary, Télika, la princesse assassinée, révèle certains secrets de l'Egypte pharaonique. Parlant de la construction des pyramides, elle affirme que les bâtisseurs de ces monuments connaissaient des systèmes de levage très raffinés et fondés sur des calculs de mécanique extrêmement précis. Les Egyptiens, ajoute-t-elle, savaient produire l'électricité à partir de l'air et utilisaient un éclairage «dont les effets étaient à peu près les mêmes que ceux des luminaires actuels». Les sages égyptiens possédaient, selon Télika, un «savoir qui serait d'une valeur incalculable pour le monde moderne, si seulement il était capable de le redécouvrir».

Dans un enregistrement réalisé le 4 mai 1936, Télika, à travers le médium Rosemary, fait cette étonnante déclaration: «Je voudrais pouvoir vous dire quelque chose sur les formes supérieures de vie avec lesquelles nous sommes en contact dans l'Au-delà. Il m'est difficile de les décrire. De ces êtres, nous avons appris des choses bien étranges; cependant, il m'est tout aussi difficile d'entrer en contact avec eux qu'avec vous. Et cependant, l'âme d'un défunt peut s'approcher plus facilement de ces êtres-là que de vous sur votre terre. Votre système de valeurs est tellement défectueux! La terre est une planète tellement peu développée en comparaison de la plupart des autres! Le savoir et le développement des humains se trouvent à un niveau relativement bas par rapport à celui des êtres supérieurs. L'organisation dans laquelle vous vivez est comme une goutte d'eau dans un immense océan. Nous-mêmes ne sommes pas beaucoup plus développés. Vous parlez de nos facultés et de notre pouvoir. Moi-même, je ne suis rien et je ne sais presque rien. Parfois, lorsque je me trouve dans l'état que vous appelez « méditation », j'ai la sensation que mon corps est pénétré d'un rayon de lumière bleue venant d'un autre monde. Et cela est une source de beauté, de force et d'illumination. Ceux qui me protègent ici disent que ce sont les rayons d'une conscience supérieure dans laquelle je me fondrai lorsque j'aurai perdu le contact avec toutes les choses terrestres. Avec leur intelligence limitée, les humains ne peuvent pas supporter l'idée qu'ils n'auront jamais la possibilité de comprendre les moyens illimités qu'offre l'Univers. »

Rosemary soupira profondément et commença à parler en égyptien ancien

Le dernier enregistrement réalisé par l'équipe Wood-Hulme-Fodor date du 30 mai 1936. Le Dr Wood nous raconte les circonstances de cette dernière séance à laquelle assistèrent de nombreux égyptologues, chercheurs et psychologues.

Dans une petite pièce, on installa Rosemary et on lui donna quelques feuilles de papier, pour le cas où elle éprouverait le besoin d'écrire. Puis, les techniciens chargés de l'enregistrement prirent place, avec leur matériel, dans une pièce voisine. « Quelques instants plus tard, écrit le Dr Wood, Rosemary soupira profondément – on peut entendre ce soupir au début de l'enregistrement – puis elle commença à parler en égyptien ancien, par phrases lentes et hachées. J'ai numéroté ces bouts de phrase selon leur séquence sur le disque, y compris les pauses. Dans certains cas, le sens de la phrase est tout à fait compréhensible; dans d'autres cas, un bout de phrase se fond avec le suivant ou avec un autre qui suit plus loin.»

La bouleversante déclaration de Télika

Cette dernière séance d'enregistrement constituait une sorte de test imposé par le professeur Gunn.

Gunn, qui enseignait l'égyptologie à l'université d'Oxford, mettait en doute l'authenticité de cette expérience médiumnique. Il soutenait que Rosemary ne s'exprimait pas en ancien égyptien. Priée par le D'Wood de répondre à son détracteur, voici ce que déclara, lors de cette séance, Rosemary-Télika.

Ces propos furent décryptés et traduits par une équipe d'égyptologues, et le professeur Gunn reconnut, de bonne foi, son erreur. La langue dans laquelle s'exprime Rosemary-Télika est bel et bien de l'ancien égyptien.

Voici donc le texte de cette déclaration. Une déclaration hachée par des silences, pathétiques, où Télika, dans son effort désespéré de convaincre son détracteur, nous appelle à son secours et nous prend à témoin de sa sincérité.

«Nous venons pour enregistrer... ce qui est dit. C'est une preuve... pour contenter l'oreille. Elle montrera... et affirmera (que)... Il y a vraiment un message... Certes... cela a déjà été fait auparavant... par un objet en métal (le phonographe)... Cela a été fait pour faciliter... la chose difficile... pour faire entendre ce qui a été dit... Cela ne s'est pas encore imposé!.. C'est ainsi!.. C'est ainsi comme je l'ai dit!.. Ce pouvoir permet... mais il est perdu!.. Aidez-moi... Achevez cette phrase!.. Ceux qui habitent le monde de l'esprit... dans la mesure où... ils ont reçu ce qui manque à l'oreille... donnez-moi la possibilité... d'améliorer cela... Lorsque vous voyez cela, nous venons... et disons notre déception... Lorsque vous voyez cela... il faut mettre fin à ce contre-temps; je fais cette... déclaration... Alors réfléchissez... Soyez d'accord et approuvez... et appuyez ce qui a été écrit... cette fois...

Tout cela est prévu pour... vaincre la résistance. Donnez votre accord !..
Témoignez-en !.. Témoignez-en !.. Aidez-moi !.. Faites une déclaration
qui vous engage... Oubliez ce qui a été rapporté... Finissez-en...
Donnez la main !.. Voyez son appréciation... Elle doit détruire... les
points faibles et empêcher... que continue... l'explication... Laissez-le
écouter cela... cela montrera ce qui est arrivé. »

Une voix surgie de la XVIIIᵉ Dynastie

Telle est l'étonnante histoire de Rosemary, l'institutrice de Blackpool
qui servit en quelque sorte d'«interprète» à une princesse babylonienne assassinée voilà plus de trois mille ans.

Aujourd'hui, la plupart de ceux qui ont participé à cette expérience
médiumnique ont disparu. Rosemary est morte en 1961, le Dʳ Wood,
le professeur Hulme en 1967 et enfin le détracteur repenti, le professeur Gunn, en 1969.

Toutefois, il nous reste de cette expérience unique en son genre
un témoignage concret, plusieurs disques conservés, on l'a dit, à
Londres, et les curieux passionnés par la parapsychologie et par
l'Egypte pharaonique peuvent écouter, quand ils le veulent, cette voix
surgie de la XVIIIᵉ dynastie !

Augustin Lesage, le plus grand peintre-médium
de l'Europe

Est-ce à dire que certains anciens Egyptiens continuent à «vivre»
parmi nous ?

C'est ce qu'affirme, du moins, le célèbre occultiste autrichien
Karl Eisner qui est persuadé que la science secrète égyptienne
a permis à certains initiés des temps pharaoniques de «vaincre
la mort». Ces initiés, selon Eisner, sont des «morts-vivants» qui
peuvent se manifester parmi nous d'une façon inattendue. L'occultiste autrichien nous invite à être vigilants et à prêter l'oreille aux
«voix de l'éternelle Egypte».

Dans ces conditions, l'ouvrier égyptien Ména, qui vivait à l'époque de Ramsès II, est-il l'un de ces «morts-vivants»? L'histoire d'Auguste Lesage – qui constitue notre troisième récit – tendrait à le prouver.

Rien apparemment ne destinait Lesage à devenir un jour le plus grand peintre-médium de l'Europe et à associer son nom à une expérience aussi incroyable que celle de Rosemary. Issu d'une modeste famille de mineurs du nord de la France, Augustin Lesage descend, à son tour, dans la mine, en 1909, à l'âge de quatorze ans.

Un jour – c'était en 1911 – alors qu'il travaillait seul au fond d'une petite galerie, il entend brusquement une voix sortie d'on ne sait où. Surpris, le jeune mineur s'arrête de creuser et tend l'oreille. Au bout d'un moment, la voix se manifeste de nouveau: «Un jour, Augustin, tu seras peintre»!

Persuadé qu'il est victime d'une hallucination, Lesage hausse les épaules et se remet à creuser. Lui, peintre? Il ne sait même pas en quoi consiste ce métier! Fouiller les entrailles de la terre, voilà une activité qu'il connaît bien, mais peindre...

La clé de ces mystères est-elle en Egypte?

Pourtant, quelque temps après cet incident bizarre, Augustin se rend compte qu'il est en train de changer. Il ressent une véritable envie de peindre et commence même à dessiner. Puis il s'achète des toiles et de la peinture. Tous ses croquis ou esquisses ont curieusement pour thème l'Egypte.

Le fait de peindre lui semble facile et comme une seconde nature. Une main inconnue paraît le guider et lui dicter jusqu'aux moindres détails. Ses toiles sont d'authentiques fresques de la civilisation pharaonique alos que Lesage n'a jamais fait de voyage en Egypte.

Sa famille assiste, étonnée, à cette étrange métamorphose. Ses toiles sont si remarquables que des gens de Lille, de Roubaix, de Tourcoing n'hésitent pas à les acheter. La célébrité du peintre-mineur dépasse bientôt la région du Nord. Des galeries parisiennes s'arrachent les toiles d'Augustin.

Mais pourquoi toutes ses toiles représentent-elles des scènes égyptiennes? Pourquoi puise-t-il sa source d'inspiration dans un pays qu'il ignore? Quelle est la main inconnue qui l'aide à peindre?

Augustin Lesage ne sait comment répondre à ces questions. En attendant, il décide de se rendre en Egypte. C'est là, pense-t-il, qu'il faut chercher la clé de tous ces mystères...

L'énigmatique «moisson» d'Augustin Lesage

Le 20 février 1939, Lesage s'embarque à Marseille, à bord du navire *El Mansour,* en direction de l'Egypte.

Il fait partie d'un groupe de touristes voyageant sous le patronage de l'*Association Guillaume Budé* qui réunit des humanistes attachés à la culture gréco-latine. Plusieurs archéologues français sont chargés de guider les touristes et de retracer pour eux l'histoire et la signification des vestiges pharaoniques.

Durant la traversée, Lesage fait la connaissance d'un éminent égyptologue à qui il montre une douzaine de ses toiles. L'une d'entre elles est intitulée *La Moisson.*

– Vous semblez particulièrement fier de celle-ci, remarque le savant en désignant *La Moisson.*

– C'est exact, répond Lesage, c'est la dernière que j'ai faite. Mais surtout, mes guides m'ont assuré qu'il existe, dans un tombeau découvert très récemment, une fresque semblable à la mienne! Cela paraît incroyable et j'''ai vraiment hâte de voir cette fresque!

– Incroyable, en effet, rétorque le savant qui n'est pas loin de penser qu'il a affaire à un fou.

«J'éprouvais plus qu'une curiosité»

Le bateau arrive à Alexandrie le 26 février 1939. Lesage visite, dès le premier jour, quelques monuments de l'Egypte ancienne : la statue de Ramsès III, le sphinx de Memphis, la célèbre pyramide de Sakkara, les pyramides de Chéops, Chephren, Mykérinos, enfin, le grand sphinx de Gizeh.

Voici ce qu'écrira plus tard Lesage à propos de cette première excursion : «... Je crois que les touristes sont, en général, très intéressés par ces monuments et ces statues gigantesques, témoignages de la grandeur et de la beauté d'une civilisation qui a duré plusieurs millénaires. Je dois dire que, pour ma part, j'éprouvais un sentiment très puissant, comme si tout cela avait été pour moi plus qu'une curiosité, comme si les pierres m'avaient été familières, comme si ce pays nouveau que je n'avais jamais vu ne m'eût pas été complètement inconnu et je ressentais encore plus d'attachement que d'admiration.»

«Il s'établit entre la peinture et moi une indéfinissable correspondance»

Les jours suivants, Lesage visite le musée du Caire.

Le 4 mars, il part pour le Sud, la Haute Egypte.

Assouan, Edfou, Louxor, Karnak, sont les principales étapes de ce périple. Puis le groupe atteint la Vallée des Rois.

Parvenu à hauteur d'un petit village mis au jour deux ans auparavant, le guide lui explique que sous le règne de Ramsès II, cet endroit avait été habité par plusieurs centaines d'ouvriers attachés aux travaux funéraires.

L'un d'entre eux, appelé Ména, avait obtenu l'autorisation d'édifier, «à temps perdu», son propre tombeau, un peu à l'écart du village.

«Nous visitâmes, raconte Lesage, ce petit tombeau, qui pouvait contenir une vingtaine de sarcophages et, tout à coup, j'aperçus sur un mur une grande fresque; je reconnus la scène de *La Moisson* que j'avais peinte moi-même, avant de partir. Une émotion puissante et complexe s'empara de moi et j'aurais bien du mal à en donner une idée exacte.

»Il me sembla tout à coup, à être si près de cette petite scène encore intacte, à la voir semblable à celle que j'avais faite moi-même, il me sembla que j'en étais aussi l'auteur. Il s'établit entre la peinture et moi une indéfinissable correspondance, comme si je ne pouvais plus discerner si je venais de la peindre ou seulement de la retrouver... Je me sentais immobilisé, à la fois soutenu et écrasé par la surprise et la joie. Une joie immense m'envahissait, comme la joie d'un exilé qui retrouve son village.»

«Ma main est l'instrument d'un cerveau qui n'est pas le mien»

L'un de ses amis qui l'accompagne, ainsi que divers autres touristes qui ont déjà vu la toile de Lesage, partagent sa stupéfaction. La peinture et la fresque murale sont d'une ressemblance hallucinante. Or, cette fresque se trouve dans un tombeau – par ailleurs fort peu connu et peu visité, – et elle n'avait jamais fait l'objet d'une reproduction.

Comment expliquer ce phénomène? Est-ce l'«esprit» encore vivant de Ména qui a guidé la main du peintre-médium?

«Je comprenais enfin, écrit Augustin Lesage, quelque temps après, pourquoi ce voyage, si longtemps désiré, n'avait pu se faire plus tôt. Il ne fallait pas que je visitasse l'Egypte avant la découverte de cette fresque; il fallait que je la visse et que la preuve, ainsi, fût faite que mes tableaux ne sont pas les fruits de mon imagination, que ma main est l'instrument d'un cerveau qui n'est pas le mien.»

Pendant plusieurs années, un grand nombre d'occultistes et de spécialistes de la parapsychologie ont interrogé Augustin Lesage sur l'origine de ses étranges facultés. Mais, à toutes les questions qu'on lui posait, le modeste Lesage se contentait de répondre: «Je ne sais pas... C'est une main inconnue qui guide la mienne».

Le 21 février 1954, le peintre-médium s'est éteint dans le petit village de Burbure, dans le Pas-de-Calais, emportant son secret dans la tombe.

Les occultistes: des illuminés ou des pionniers d'une nouvelle connaissance?

Que conclure de ces trois récits? Devons-nous suivre Karl Eisner et croire que les anciens Egyptiens vivent encore parmi nous?

Un fait est certain: la science moderne n'apporte aucune explication à ces étranges phénomènes qui demeurent le royaume fermé des cercles spirites et des parapsychologues. La vengeance des pharaons fait également partie de ce royaume secret abandonné par les savants aux amateurs – qui sont légion – de l'insolite, de l'inexplicable et du «mystérieux inconnu».

Pourtant, certains savants n'hésitent pas à exprimer leur embarras et se demandent s'ils ont le droit de traiter avec dédain tous ceux qui s'aventurent dans ce royaume de l'insolite. Sont-ils des illuminés qui, à défaut d'avoir trouvé Dieu, courent derrière de fausses croyances et inventent des idoles fantomatiques pour peupler leur ciel, vide de la vraie foi? Ou bien sont-ils les pionniers d'une nouvelle connaissance dont la science n'a pas encore défini les contours? Le grand mathématicien Henri Poincaré semble avoir pensé que le second terme de l'alternative était le bon. «En ce qui concerne les rapports de la science moderne avec l'inconnu, confiait-il à son ami Cocteau, je vous dirai que nous commençons à entendre les premiers coups de pioche des mineurs qui viennent à notre rencontre.»

C'est aussi l'opinion de Montaigne qui considère que c'est une «sotte présumption d'aller desdaignant et condamnant pour faux ce qui nous semble pas vraisemblable; ce qui est un vice ordinaire de ceulx qui pensent avoir quelque suffisance oultre la commune.

»J'en faisois ainsi autrefois; et si j'oyoys parler ou des esprits qui reviennent ou du prognostique des choses futures, des enchantements, des sorcelleries, ou faire quelqu'autre conte où je ne pusse pas mordre, il me venoit compassion du pauvre peuple abusé de ces folies.

»Et à présent, je trouve que j'estoys pour le moins aultant à plaindre moymesme.»

Mais il est vrai que Montaigne, descendant proche de Juifs espagnols[1], se rattachait par eux, si souvent *Alumbrados* (Illuminés), à un très ancien ésotérisme.

Nous laissons le lecteur se faire sa propre opinion.

---

1.   Voir notamment Roger Trinquet, *La jeunesse de Montaigne*, 1972.

TABLE DES MATIÈRES

Cet ouvrage
composé en Univers de corps 10
a été réalisé par
les Editions Famot à Genève
d'après une maquette originale.
Il a été tiré sur
papier bouffant de luxe.

Imprimé en Espagne
Production Editions Famot
Diffusion François Beauval

Printer industria gráfica sa   Provenza, 388   Barcelona-25
Sant Vicenç dels Horts   1980
Depósito legal B. 47570-1976 (III)
Printed in Spain